Diálogo com um Executor

Rubens Saraceni
Ditado pelo espírito Mário Ventura

Diálogo com um Executor

MADRAS

© 2022, Madras Editora Ltda.

Editor:
Wagner Veneziani Costa (*in memoriam*)

Produção e Capa:
Equipe Técnica Madras

Revisão:
Silvia Massimini
Alessandra J. Gelman Ruiz
Elaine Garcia
Daniela de Castro Assunção

Dados Internacionais de Catalogação na Publicação (CIP)
(Câmara Brasileira do Livro, SP, Brasil)

Ventura, Mário (Espírito).
Diálogo com um executor / ditado pelo espírito Mário Ventura ; [psicografado por] Rubens Saraceni. – 7 ed.
São Paulo : Madras, 2022.
ISBN 978-85-370-0393-0
1. Espiritismo 2. Psicografia 3. Romance brasileiro I. Saraceni, Rubens, 1951-. II. Título.
08-06708 CDD-133.93

Índices para catálogo sistemático:
1. Romances mediúnicos : Espiritismo 133.93

Proibida a reprodução total ou parcial desta obra, de qualquer forma ou por qualquer meio eletrônico, mecânico, inclusive por meio de processos xerográficos, incluindo ainda o uso da internet, sem a permissão expressa da Madras Editora, na pessoa de seu editor (Lei nº 9.610, de 19.2.98).

Todos os direitos desta edição reservados pela

MADRAS EDITORA LTDA.
Rua Paulo Gonçalves, 88 – Santana
02403-020 – São Paulo/SP
Tel.: (11) 2281-5555 – (11) 98128-7754
www.madras.com.br

Índice

Apresentação 7
Introdução 10
O Acidente 15
A Traição e o Mal Presente 24
A Vingança 36
O Guardião Executor e o Guardião Transformador 44
A Lei se Confirma 56
A Hora da Verdade 69
Nos Domínios da Loucura 82
O Mergulho nas Profundezas do Abismo 95
O Resgate 115

Apresentação

Diálogo com um Executor dispensaria apresentações, uma vez que a introdução ditada por Mário Ventura, o autor espiritual deste livro, fornece um quadro geral de como se desenrolou sua queda, seu suplício e seu resgate, e de como o autor carnal ligou-se a ele nesse processo de renascimento para a Luz Divina.

Contudo, achamos por bem "pinçar" do texto algumas passagens que consideramos importantes, porque denotam a grandeza e a profundidade dos conhecimentos com que somos defrontados. A aparente obviedade de alguns desses conhecimentos desfaz-se quando nos sentimos flagrados por nós mesmos, em nossa intimidade, desatentos para o que parecia líquido e certo.

Primeiramente, na passagem em que nosso personagem "viaja" em um ônibus, assistimos com ele a uma cena explícita de obsessão, produzida pela ação ostensiva de espíritos trevosos no mental de passageiros cujos pensamentos eram "ouvidos" por essas entidades. A cena mostra como atuam os espíritos nos casos de obsessão sexual.

Mais adiante, temos um esclarecimento sobre as marcas do desencarne: quando dizemos que alguém "descansou", esta afirmação nem sempre é verdadeira, uma vez que a dor e o sofrimento físico estendem-se ao corpo espiritual, pelo menos até que o desencarnado receba o tratamento devido. Em outro ponto do livro, Mário deixa claro que esse atendimento é fundamental, pois a persistência do suplício gera uma animosidade emocional com consequências fatais para o mental do indivíduo. Em muitos casos, a não observação dessa regra básica leva muitos de volta aos caminhos sombrios do ódio, da dor e da vingança.

Outro aspecto interessante que encontramos em vários pontos do livro é a qualificação de personagens como "protegidos", "protetores", "guardiões transformadores" e "guardiões executores". Alguns dos princípios que regem a coexistência espiritual estão expressos pelas relações que se estabelecem entre esses vários personagens. Por exemplo: o princípio da sintonia vibratória rege as relações entre as entidades negativas e as positivas, independentemente de serem trevosas ou não. No caso de Mário, que não tinha afinidades aparentes com as Trevas, ao desencarnar deu vazão ao seu desejo de vingança, e a Lei o colocou em sintonia com e a serviço de entidades negativas. No caso de Eliana, sua filha menor, em sua inocência, foi encaminhada para um abrigo na Luz, de natureza positiva. No caso da serpente, que normalmente é associada ao espectro negativo, observamos uma sintonia do tipo positiva, no que diz respeito ao trabalho que ela efetua para sua elevação espiritual.

No caso dos guardiões, parece-nos claro que eles se colocam acima do Bem e do Mal, como nós, humanos, os temos, à medida que fazem exclusivamente aquilo que lhes é facultado pela Lei Maior. Os executores, utilizando os sentimentos de ódio e vingança de espíritos caídos, dão-lhes os meios para esgotarem por completo essas vibrações (alguém precisa fazer o "serviço sujo"!); os transformadores levam-nos à reversão desses sentimentos, de forma a purificar seus emocionais por meio da sua purgação até os limites da loucura. A submissão desses guardiões a mestres iluminados demonstra que são seres de sintonia positiva.

Formamos, assim, uma espécie de "quadro social do astral". E pelo que nos mostra o livro, as relações de interdependência, tanto de entidades quanto de ações, estendem-se por vários séculos, por meio de várias encarnações.

Mais do que citar essas "relações sociais hierarquizadas", *Diálogo com um Executor* discute as relações cármicas que levam ao desencadeamento de demandas que somente a transformação poderá reverter. Mário, ao tomar para si o direito de interferir no carma de sua filha Priscila, provoca a transformação de todos aqueles que se envolveram com ele, nesta e em outras encarnações.

Quando paramos em determinado ponto da leitura e refletimos sobre aquilo que vivemos e sobre como vivemos nossas relações pessoais, familiares, de amizade, de trabalho, etc., sentimos o quanto os dois planos (físico e espiritual) estão ligados, e percebemos, então, o quanto estamos distantes do entendimento dos nossos próprios motivos.

Essa breve apresentação é uma reflexão. Certamente, muitas outras reflexões poderão ser feitas a partir da análise das poucas páginas deste livro. De nossa parte, sentimo-nos gratificados por participar desse evento e podemos garantir a Mário Ventura que com este livro ele deverá acrescentar mais algumas pedras à sua torre iluminada.

Introdução

Saudações fraternas, amigo Rubens!
Venho até você para lhe contar minha história. Isso não é muito comum, mas como eu o vi escrevendo sobre seus amigos deste lado da vida, resolvi dar meu depoimento também, e espero que possa ser útil a quem o ler, ou mesmo a você, que vive mais uma vez o tormento da carne nessa sua curta encarnação. Talvez você não tenha consciência total do seu trabalho em prol de espíritos iguais a mim.
Hoje tenho plena consciência de tudo o que me aconteceu, e do tanto que você me ajudou com seu trabalho oculto das luzes da promoção barata, das quais muitos se impregnam quando auxiliam um semelhante.
Não posso dizer que é agradável fazê-lo, pois vejo o quanto sofre ao nos acolher ao seu lado. Sinto suas dores e tormentos, mas pouco posso fazer para aliviá-los, porque não existem meios de o curarmos sem o seu auxílio. Talvez nada disso pudesse ser feito sem seu auxílio imenso. Talvez também eu continuasse a sofrer dores atrozes em meu corpo espiritual, chamado vulgarmente de perispírito. Digo isso porque o corpo espiritual é tão palpável e sensível quanto o corpo carnal, e não apenas um envoltório do ser imortal que todos somos.

Introdução

Quantas tolices não têm cometido os tolos que julgam que o espírito não sofre dor alguma, a não ser aquelas dos seus mentais. Embora essas também existam, elas estão mais relacionadas aos reflexos condicionados da dor sofrida no corpo carnal e aos remorsos por erros cometidos do que com a dor do corpo espiritual.

Esta sim é um tormento. Eu a vivi com grande intensidade e posso dizê-lo com toda a segurança: o corpo espiritual vibra tanto com a dor a ele infligida quanto o corpo carnal.

Digo isso porque, se não fosse os seus amigos terem dado o alívio da cura antes da doutrina, talvez eu ainda estivesse vagando nas trevas da ignorância das coisas divinas.

Mas não! Primeiro curaram minhas feridas, depois saciaram minha sede, e só então vieram doutrinar-me para as coisas divinas.

Sim, isso foi o que realmente despertou-me para a verdade. Não tentaram dobrar-me antes de me curar, e isso foi o princípio do meu despertar para a Luz. Não foi a vaga promessa do reino dos céus que me resgatou das Trevas, e sim o auxílio imediato às dores e aos ferimentos do meu corpo espiritual que me converteu, de um ser cruel e violento, em alguém novamente bom e conformado com os reveses sofridos, tanto na carne como no espírito.

É isso, meu amigo.

Se alguém chora, enxugue-lhe as lágrimas. Se ele sente dores, cure-o. Se está aflito, acalme-o, e se odeia, ame-o. Somente uma ação contrária e oposta à vivida por alguém atormentado pode tirá-lo das trevas da ignorância e encaminhá-lo à Luz Divina.

Ainda sinto o peso do remorso por ter regredido muito após o meu infeliz desencarne, mas alimento com uma fé inabalável a confiança no caminho retomado após o contato com você e com seus amigos desse lado.

Vejo com tristeza os momentos em que o tormento das "irradiações" de dor, remorso, ódio, aflição, desespero, pavor, insegurança, vingança, frustração, desejo, paixão, impotência, fuga, suicídio, loucura, rancor e muitas outras atingem-no com intensidade, fazendo-o vergar. Mas sinto-me feliz ao ver como você reage a elas, sempre da mesma forma: o silêncio resignado de quem sabe não poder alterar o que é, porque é assim que deve ser.

Por isso, entre as várias alternativas oferecidas a mim pelos Mestres da Luz para uma evolução segura, preferi voltar ao seu lado, e auxiliar tanto você quanto os que um dia me auxiliaram, não com vãs e tolas palavras, mas sim com exemplos inatacáveis.

Talvez isso se deva à minha natureza prática e pouco dada a conversas inúteis ou que a nada conduzem a não ser ao aumento dos tormentos. Afinal, eu não gostaria de ser lembrado a todo momento que um dia eu não soube controlar-me e lancei-me em um abismo mental muito profundo.

Para que ser cobrado a todo instante?

Não é mais fácil ser instruído e depois esclarecido sobre como não cometer novamente o mesmo erro, que tão caro custou?

É isso, meu amigo.

Estou ao seu lado, tanto para retribuir o auxílio um dia recebido, como para auxiliar àqueles que, como eu, há alguns anos ainda vivem nas trevas da ignorância e precisam apenas de uma mão amiga para que se levantem e reiniciem suas caminhadas rumo à Luz Divina. Não é preciso muito mais, pois a dor e o remorso todos nós já conhecemos. Quanto ao resto, somente uma mão amiga pode proporcionar. Não a mão que dá impondo condições, conversões absurdas ou tomando mais do que ofereceu. Não, isso não! Apenas a mão que se faz acompanhar da frase: "Agarre-me que eu o ajudo a se levantar, e amparo-o até que possa caminhar ereto e com suas próprias forças", é a verdadeira mão amiga.

Essa mão eu tive estendida um dia, e hoje sinto-me feliz por também poder estender a minha e repetir o gesto divino da ajuda pela ajuda, sem precondições ou obscuros condicionamentos mentais a que todos nós, espíritos, estamos sujeitos.

Estou ao seu lado e espero poder repetir esse gesto não uma, mas milhares de vezes, pois o horror das trevas da ignorância só pode ser eliminado com o gesto nobre do estender a mão amiga, e das sábias palavras que dizem: "Olhe o que faço em nome de Deus e, caso encontre nisso algum sentido, então me siga, porque, se assim não for, de nada adiantará eu lhe falar do reino dos céus. É preciso entender que ele existe apenas na medida em que nós o construímos com o trabalho que não visa a outro objetivo, que não o de criar em cada coração um reino luminoso".

Isso foi o que um dos Mestres da Luz falou-me quando eu já não sentia dor, sede e nem padecia das chagas em meu corpo espiritual.

Sábias palavras, pois despertaram-me para algo que até então eu não conhecia ou imaginava que viria um dia a conhecer. Não sou um sábio, e muito menos um Mestre da Luz. Ainda estou vivendo o tempo do remorso e do resgate, mas com uma nova direção que foi mostrada a mim, e não imposta, como acontece em muitos locais de recolhimento de espíritos aqui no mundo infinito em que vivo.

Eu vi muitos tentando impor suas doutrinas e não aceitei, porque meu errôneo pensamento julgava que eu nada tinha feito de errado antes da queda, e mesmo depois dela. Talvez seja por causa disso que muitos falham ao tentar doutrinar os espíritos caídos.

Mas estou feliz porque não me dobrei àquelas doutrinas e acabei sendo encaminhado à mais sábia delas, que é a da Luz do saber das coisas divinas.

Hoje eu vivo nela e, ainda que sinta remorsos pelo passado, sei que é apenas uma questão de tempo até que eu consiga superá-los.

Não digo que escapei das Trevas, porque manter-me na Luz depende unicamente de mim, e não daqueles que delas me resgataram. Mas a Luz do saber das coisas divinas mostra como evitar erros irreparáveis, e como consertar os erros cometidos em um momento de desespero e impotência em relação ao meu tormentoso desencarne.

Bem, quero que saiba que estou muito bem, e agora melhor ainda, pois estou ao seu lado. Posso não poder fazer muito, mas o pouco que consigo fazer, faço por amor aos meus semelhantes, e uma fé que se baseia nos conhecimentos das Leis Divinas a mim proporcionados pela Luz do saber das coisas divinas.

Espero um dia abraçá-lo em espírito, quando você vier para o nosso lado. Aí sim, eu estarei completamente livre de todo o remorso e poderei dizer-lhe de todo o meu coração: obrigado, amigo Rubens! Leve-me com você, pois quero continuar ao seu lado. Antes, foi apenas um despertar. Agora será o tempo de viver com intensidade as coisas divinas da Luz do saber acompanhando o outrora "mestre cego" pelos olhos materiais, que agora está livre da venda escura da carne.

Saudações fraternas de seu irmão em Oxalá, Mário Silva Ventura

Capítulo 1

O Acidente

Primeiro de agosto de 1953, porto de Santos.
De um enorme cargueiro europeu descarregaram vários carros luxuosos importados da Itália. Eram automóveis requintados, que nem por sonho teríamos aqui no Brasil de então.
Eram oito automóveis, e teríamos de entregá-los em várias regiões do Estado de São Paulo e em outros Estados limítrofes.
Eu, Mário Silva Ventura, neto de italianos, era motorista da agência importadora e guiava um deles até o seu novo proprietário. Três dias depois do desembarque dos automóveis, os papéis alfandegários chegaram e logo começaram a ser despachados pela agência importadora.
Um deles foi confiado a mim e, com os papéis nas mãos, eu e mais um amigo partimos rumo a São Paulo, capital. Assim que chegássemos, iríamos tomar a direção do Estado de Minas Gerais. Íamos em dois, pois não deveríamos parar antes de entregá-lo ao seu comprador, um Secretário do Estado mineiro.
Era um deputado riquíssimo, que possuía imensas fazendas naquele Estado e exercia o cargo de Secretário de negócios do interior. Seu nome pouco importa, pois nem gosto de relembrá-lo, e logo você saberá o porquê.

Bem, chegamos a São Paulo, almoçamos e reabastecemos o carro para então iniciarmos a longa viagem até Belo Horizonte. Como não iríamos parar senão para comer e reabastecer o veículo, revezaríamo-nos no volante.

Hoje essa viagem pode ser fácil, mas não em 1953. As longas viagens eram difíceis, e meu companheiro também era mecânico porque, se algo acontecesse no caminho, não teríamos a quem recorrer para o conserto que se fizesse necessário.

Viajamos o resto da tarde e só paramos já ao anoitecer. Jantamos e reabastecemos o carro. Dali em diante, eu dirigiria até o amanhecer. Meu amigo iria cochilar. Quando eu me cansasse, ele assumiria o volante até Belo Horizonte.

No silêncio da noite, eu dirigia com atenção pela tortuosa rodovia. A velocidade não era superior aos 60 km horários, pois éramos proibidos de ultrapassá-los pelo importador, que temia qualquer dano em seus luxuosos veículos.

Por volta das três horas da manhã, já em solo mineiro, eu vi, vindo em sentido contrário, um veículo que parecia ser um caminhão. Vinha em alta velocidade e aquela hora e local eram impróprios para se fazer tal coisa.

Por descuido ou má intenção, ele jogou o veículo em minha direção quando estava a menos de 20 metros. Fiz uma manobra rápida na tentativa de sair da frente dele e despencamos por uma íngreme ribanceira. Meu amigo dormia no banco traseiro e acordou com os solavancos do carro que caía ladeira abaixo e com os meus gritos de susto e medo.

Tudo foi muito rápido. Senti uma forte pancada na cabeça e fiquei desacordado dentro do carro. Ainda senti quando me retiraram do meio das latarias retorcidas, mas estava muito tonto, e caí desacordado no solo novamente.

Algum tempo depois, o quanto eu não sei, acordei. Estava deitado perto de uma árvore e meu corpo e minha cabeça doíam muito. Vi várias pessoas em volta do carro. Lá estava meu companheiro de viagem, com um braço e a cabeça enfaixados. Gesticulava muito com o braço direito e falava sem parar, mas eu não ouvia o que ele dizia pois estava muito longe de mim.

Vi o tal secretário irado por ver o carro todo retorcido. Quando tentei me levantar, uma dor imensa na cabeça obrigou-me a ficar deitado imóvel. Em dado momento, eles se aproximaram de mim, e então pude ouvir o que diziam. Marcos, o meu companheiro, falava:

— Isso é impossível! Eu dormia no banco de trás e teria sentido se Mário estivesse fazendo tal coisa.

— Pois é a pura verdade, senhor secretário! – justificou-se um homem. — Ele começou a levar o carro de um lado para o outro da pista, e fiquei sem saber se ficava no meu lado ou me desviava. Quando tentei desviar para a outra faixa de direção, ele também a tomou, e foi direto para fora da estrada. Eu "ferrei" o caminhão, mas só evitei a colisão, e não tive a menor culpa pela queda dele nesse abismo.

— É mentira! – falei eu com dificuldade, pois mal conseguia respirar. Aquela tentativa de defender-me causou-me muita dor. Calei-me.

— Este idiota mereceu morrer! – gritou irado o secretário de Estado. — Vejam o que fez com meu lindo automóvel. Filho de uma p...! Devia estar bêbado, divertindo-se com meu carro.

— Bom, ele vinha em altíssima velocidade, senhor secretário. Creio que estava no limite da potência desse veículo veloz.

— Nós não fazemos isso com os carros que vamos entregar aos nossos clientes. Temos normas a serem respeitadas, e esse não era o primeiro veículo que entregávamos.

— Quem irá indenizar-me pela perda do meu caminhão? – perguntou bravo o homem que eu agora sabia ser o louco que jogara o caminhão sobre mim.

— Certamente a agência importadora que contrata incompetentes e irresponsáveis. Acione-os judicialmente que eu farei o mesmo pelo meu carro destruído.

— Isso é mentira! — exclamei com meia voz — Ele mente, pois foi por causa do erro dele que tive de sair da estrada.

Mas não me ouviram. Ainda escutei o secretário endereçar-me uma infinidade de ofensas e depois retirar-se, irado. Foi por isso que falei que não gostaria de relembrar o nome dele. Sujeito à toa, não valia um réis furado. Mas eu não imaginava que havia morrido e fiquei com ódio daquele homem, apesar da dor que estava sentindo. Se pudesse levantar-me, eu lhe quebraria alguns dentes com um murro na boca.

Bem, o caso é que o carro foi içado por um guincho e todos foram embora. Tentei gritar por socorro, pedindo para que não me abandonassem ali, caído no solo. Tudo em vão. Eles se foram e nem ligaram para meus pedidos de ajuda.

Via-me na maior aflição, pois não podia me mover, ainda que tentasse. Lágrimas afloraram dos meus olhos e chorei muito por sentir-me abandonado naquele lugar ermo, sem ninguém para me auxiliar. Orei a Deus em desespero, mas de nada adiantou. Continuei sozinho por muito tempo.

Só com muito custo consegui levantar-me. Tentei subir a ribanceira, mas, como todo meu corpo doía, tomei outro caminho para alcançar a estrada. Caminhava um pouco e parava, porque a dor se tornava insuportável. Em um dia inteiro, eu não consegui alcançar a estrada, e até afastei-me muito mais dela. Somente no fim do dia seguinte consegui retornar a ela.

De nada adiantava dar sinal de mão aos poucos veículos que passavam por mim naquela rodovia solitária. Até uns carroceiros que passaram nem sequer olharam para mim quando pedi auxílio.

Em meu estado, julgava ainda possuidor de um corpo carnal. Não me dava conta de que já não pertencia ao mundo dos vivos. Quando cheguei a um riacho, tentei beber um pouco de água. Assustei-me quando minhas mãos não conseguiram colher a água cristalina que corria à minha frente. Tentei bebê-la, e também nada consegui. Sentia a água passar por meu rosto e minhas mãos como se fosse uma corrente elétrica muito fraca.

Pouco a pouco, fui tomando consciência do meu estado, e o confirmei ao passar por entre uns arbustos sem ao menos movê-los.

– Eu não sou mais um vivo! – exclamei apavorado.

Depois de chorar muito por ter perdido o contato com os vivos, eu me levantei e, decidido, andei pela estrada rumo a São Paulo. No meu desespero, caminhava pelo meio da rodovia e sentia os veículos passarem através do meu corpo espiritual sem causarem mal algum, apenas um leve arrepio.

Por muitos dias caminhei na rodovia, e não ligava para nada. Quando cheguei a uma cidade, vi um ônibus velho que se dirigia para São Paulo. Por um impulso eu subi a bordo, e sorri quando vi que não precisaria caminhar para chegar ao meu destino. Também descobri algo novo.

Eu entrei no velho ônibus e recostei-me no fundo. Dali comecei a ouvir um vozerio insuportável, mas não via ninguém conversando. Todos mantinham as bocas fechadas, mas eu os ouvia. Prestei atenção a um casal à minha frente, e ouvi seus pensamentos.

– Sim, são seus pensamentos! – exclamei eu, esquecendo-me de minhas dores.

Só então eu despertei para um novo estado de consciência. Ouvi muitas coisas que traduziam a verdadeira personalidade daquelas pessoas. Ouvi pensamentos de ódio, amor, desejo, dúvidas, aflições, saudades, tristezas, alegrias, planos para o futuro e remorsos por planos que não foram realizados.

Então, eu parei e pensei: "Imagine se alguém me ouve, afinal aqui deste lado a voz audível é a da consciência. De minha mente não sairá um único pensamento. O negócio é, quanto mais silêncio, menos é revelado".

Passei a viagem toda observando as pessoas que viajavam naquele ônibus. Vi um rapaz puxar conversa com a senhora ao seu lado, mas o que ele falava não era o mesmo que pensava. Enquanto dizia estar cansado da viagem, alimentava o mais ardente desejo por ela. Observava dissimulado suas belas formas, e mais ainda o insinuante decote do seu vestido. Eu até me aproximei um pouco mais para não perder nada do que diziam, ou pensavam, os dois, e devo dizer que me diverti com a nova possibilidade que me abriam os encarnados.

Tudo aquilo era divertido. Eles não sabiam que os espíritos dos mortos podiam ouvi-los em sua consciência.

Devo dizer, também, que a luz irradiada pelo rapaz mudou de coloração: de um branco azulado, passou a um tom rosado, quase vermelho. "Acho que isso tem a ver com o desejo" – pensei.

"Mas e ela? Por que não altera sua luz irradiada? Será que não o deseja também?"

Pouco depois eu ouvi um pensamento que me esclareceu:

"Este chato está me incomodando com sua conversa tediosa. Será que não notou que está sendo muito tolo com esse diálogo que encobre suas verdadeiras intenções?"

Então era isso! Ela não estava muito interessada em lhe dar atenção, e só o fazia por delicadeza e boa educação.

"Idiota" – pensei eu.

Mal eu voltava ao fundo do ônibus, e dois espíritos surgiram ao lado do rapaz. Gargalharam muito, e logo outros juntaram-se a eles. Entre "homens" e "mulheres", havia meia dúzia deles, e começaram a acariciar tanto o rapaz quanto a senhora ao seu lado. Pude ver como o rapaz tornou-se rubro como a luz irradiada pelos seus desejos, e como a mulher também alterou-se muito, enquanto acariciavam-lhe suas partes íntimas, seios e rosto, em um frenesi sem paralelo. Ela estava alterada pelas carícias que os espíritos faziam-lhe.

"Então é isso" – pensei eu, mas calei-me. Não queria despertar-lhes a atenção, e sim observar como seria dali por diante. A senhora tornou-se mais receptiva às investidas do rapaz, e agora enrubescia também. Era o desejo atiçado pelos invisíveis que a atingia em cheio.

Para mim, tudo era espantoso. Agora eu sabia como muitas ações impensadas tomavam corpo de um momento para outro em nossas mentes. Isso explicava muitas coisas até então desconhecidas para mim.

Como anoitecia e o ônibus fez uma parada para os passageiros lancharem, eu acompanhei os dois à distância, e pude ver e ouvir o desenrolar do envolvimento praticado pelo grupo de espíritos à volta deles. Outros espíritos também os observavam à distância, sem nada fazer. Eu já identificava um espírito de um encarnado, e mantinha-me calado, pois eu também era observado por eles.

O rapaz tornara-se insinuante, e a mulher já era receptiva a ele. Eu os observava como um pesquisador atento ao objeto de seus estudos.

"Preciso esclarecer-me a respeito dos procedimentos deste lado", pensei. "Aqui a coisa é mais interessante que na carne".

Vi quando voltaram ao ônibus e ela se sentou do lado da janela, e ele do lado do corredor. Aquilo já prenunciava algo, pois a escuridão seria um ótimo argumento para uma ousadia maior. E foi o que aconteceu. Induzida pelos invisíveis, a mulher deixou-se acariciar pelo rapaz em dado momento, e vi lampejos espargirem-se dela. Os invisíveis absorviam-nos como um mata-borrão faz com a tinta de escrever que eu usava quando estava na carne. Eles também alcançavam uma intensidade muito elevada de prazer. Quanto mais os dois envolviam-se nas carícias que provocavam prazer, mais vibração eles absorviam. Vi quando um espírito masculino e um feminino deram vazão aos seus desejos apenas com a vibração que absorviam dos dois encarnados. Seria divertido tudo aquilo, se não fosse a bestialidade e a imoralidade na forma de se obter o prazer. A tudo eu observava. Vários espíritos tentaram repreendê-los, mas foram afastados quando um deles puxou um punhal afiado que trazia oculto sob sua roupa e avançou em sua direção. Como por encanto, todos sumiram.

Novamente a sós, os seis voltaram à carga sobre os dois encarnados, e vi como ela permitia que ele a acariciasse com maior ousadia. Os lampejos de prazer emitidos pela mulher eram absorvidos por aquelas almas desregradas e degeneradas com tal voracidade que elas penetravam em seu corpo carnal, a ponto de uma das invisíveis praticamente assumir a sua forma. Eu já não sabia dizer se era à encarnada ou à invisível que o rapaz acariciava e beijava: ambas estavam embaralhadas, e a vibração rubra atingia as duas.

Creio que naquele instante era mais à desencarnada que ele sensibilizava, pois enquanto a encarnada mantinha-se em silêncio e tinha alterada apenas sua respiração, a invisível emitia gemidos de prazer intenso. "Isso é mais interessante do que eu imaginava", pensei.

Acho que ela atingiu um intenso orgasmo, porque logo saiu e deu o lugar a outra. A mistura de invisíveis era de tal ordem que eles se sucediam nos envolvimentos de prazer muito rapidamente.

A tudo eu observava em silêncio. Não queria ser incomodado, e interessava-me conhecer tudo aquilo. Por volta das 11 horas da noite, o ônibus chegou ao seu destino e todos os passageiros começaram a descer.

Vi quando os dois desceram envolvidos pelo grupo invisível. Perto da rodoviária havia um hotel e os dois dirigiram-se para ele, alugaram uma suíte como se fossem marido e mulher e subiram ao quarto rapidamente. Em instantes, estavam entregues às mais ousadas carícias e a um rápido tirar de roupas. Eu não fui notado pelo grupo invisível e pude ver tudo através da parede do quarto. Vi como se amavam, tendo os invisíveis como parceiros de leito incorporados aos seus corpos. Aquilo foi o suficiente para que eu descobrisse que eles poderiam modelar-se aos corpos dos encarnados e vibrar tanto quanto eles.

"Então é isso", pensei. "É assim que os encontros clandestinos acontecem." E eu jamais saberia disso se não fosse um invisível também.

Capítulo 2

A Traição e o Mal Presente

Eu caminhei sem rumo por um longo tempo.
Cheguei a uma estação ferroviária e sentei-me em um banco de jardim próximo.
As minhas dores haviam diminuído, mas não desaparecido. Depois de tudo o que eu vira e aprendera, não dava mais atenção a elas.
"Agora sou um invisível, e não adianta pedir socorro aos encarnados", pensei. "O melhor é conformar-me com a nova situação e ir até minha casa ver como vão meus familiares."
Ainda pensava em minha esposa e filhas, quando alguns espíritos aproximaram-se de mim. Um deles, olhando-me sério, falou:
– O que faz aqui, amigo?
– Nada! – exclamei. – Por acaso é proibido sentar aqui?
– Não, isso não. Mas você não deveria estar aqui.
– Por que não? Já me foi difícil chegar até aqui e o senhor ainda vem me dizer que eu não deveria estar onde estou? É lógico que eu não deveria estar, mas estou, e não posso fazer nada, pois estou longe da minha casa, tentando encontrar um meio de chegar até lá.
– Há quanto tempo você desencarnou?
– Há poucos dias, senhor.

— Você não me parece mal, mas deve ter deixado a carne antes do tempo.
— Pode ser mais claro, por favor?
— Como não! Sempre que alguém desencarna, alguém vem buscá-lo, caso possua créditos perante Deus.
— Então eu não estou nessa categoria. Não vi ninguém à minha procura.
— E vejo que algo deve ter saído errado com você, pois também não foi requisitado pelos das Trevas.
— Estou mais confuso que antes, meu senhor. Poderia ser mais claro?
— Vejo que você está muito confuso.
— Confuso? Eu, confuso? Está brincando comigo. Eu estou totalmente perdido, isso sim.
— Bem, quer vir comigo?
— Para onde?
— Até um abrigo onde recolhemos todos os que não trazem as marcas da maldade.
— Onde fica?
— Perto daqui. Lá você ficará protegido dos perigos do mundo exterior, até que vença o seu tempo de permanência na Terra.
— O que quer dizer com isso?
— Que você desencarnou antes do tempo, e terá de aguardar a sua hora para ser encaminhado à sua esfera de origem.
— Interessante. Mas qual é essa tal esfera, e quem virá buscar-me?
— Isso eu não sei dizer. Sua data final está muito distante.
— Quantos anos?
— Muitos anos, creio eu.
— E o que posso fazer se um estúpido veio com seu caminhão sem controle sobre o carro que eu dirigia? E tem mais. Ele acusou-me de ter causado o acidente. Que canalha!

— Bem, isso acontece.
— E onde está a justiça para um caso como o meu? Quem irá levar o sustento à minha família?
— Deus amparará os seus familiares. Confie n'Ele e fique tranquilo.
— Como posso ficar tranquilo?
— Já sabe qual é o seu estado atual; portanto, o melhor que tem a fazer é acompanhar-nos e aguardar, porque muita coisa pode acontecer nos próximos 30 anos.
— Não são muito animadoras as suas palavras, meu senhor.
— Confie em Deus e aguarde calmo. A divina providência ampara a quem assim procede.
— Está certo, senhor. Eu o acompanharei até seu abrigo.
— Ótimo, meu amigo.

Fui com ele ao tal abrigo, e em um instante estávamos lá. A quantidade de espíritos acomodados no lugar era espantosa. Fiquei boquiaberto com a multidão com que me deparava.

O senhor que me convidara a acompanhá-lo indicou-me um local onde eu poderia ficar.

Alguns minutos depois, uma mulher aproximou-se de mim e entabulou uma conversa com o intuito de tirar-me de uma forte depressão que tomara conta do meu mental.

Conversou longamente e, quando me recuperei, ela me convidou para conhecer o lugar.

Após um dia todo andando por ali, eu já estava familiarizado com o abrigo. Minhas dores foram tratadas e, em pouco tempo, eu já estava auxiliando os enfermeiros do abrigo.

Quase um ano se passou, e eu já havia me resignado à rotina, quando um fato novo a alterou por completo. No meio de um grupo de espíritos recolhidos, vi alguém muito estimado a mim.

Era minha filha menor chamada Eliana. Estava muito diferente de quando a vi pela última vez, um ano antes. Trazia estampada em seu meigo rostinho uma dor mil vezes maior que aquela que eu havia sofrido no meu desencarne. Corri ao seu encontro e a tomei nos braços. Seu pranto comoveu-me, e chorei também.

Como era triste ver a minha querida filhinha Eliana tão marcada pela dor! Somente quem tem filhos e os ama sabe o quanto um pai sofre ao vê-los sofrendo.

Com muito custo uma das irmãs de caridade a tirou de meus braços e a levou a uma enfermaria, onde cuidaram dela.

Acredite se quiser, mas ela trazia todas as marcas de sua morte violenta.

Aquele que disser o contrário, ou seja, que o espírito nada sofre, ou nada leva como marcas e recordações de sua passagem na Terra, é um mal informado sobre as coisas espirituais. E olhe que tenho visto muitos desses sujeitos nesses 40 anos em que estou no mundo dos invisíveis.

Todo ser humano leva consigo as marcas do seu desencarne. Somente com o tempo elas são apagadas, se tiver o auxílio de alguém que esteja em perfeito equilíbrio emocional e espiritual.

Comigo foi assim, pois só com o auxílio dos bondosos amigos do abrigo fui curado de minhas dores.

E eu estava olhando para minha pequena Eliana, toda marcada por uma morte violenta.

Os enfermeiros não me deixaram falar com ela por causa do seu estado. Fui aconselhado a deixá-la com eles por alguns dias. Eu poderia visitá-la em horários preestabelecidos e bem espaçados uns dos outros.

Assim foi por vários dias, até ela se recuperar e voltar a ter a meiguice e o carinho de outrora. Somente então eu pude passar mais tempo em sua companhia, mas, ainda assim, era proibido de perguntar como havia desencarnado, para não perturbá-la.

Mais ou menos um mês depois, eu já conversava mais à vontade com ela. Foi em uma dessas conversas que ela me falou:

— Por que nos abandonou, papai?

— Não abandonei, minha filha. Fui obrigado a vir para cá.
— O senhor está trabalhando agora neste hospital?
— Estou, minha filha.
— E não vai voltar para nossa casa?
— Acho que não posso, querida.
— Por que não? Mamãe está sofrendo muito com o homem que veio morar em nossa casa.
— Quem é ele, minha filha? — eu dissimulei muito ao perguntar-lhe isso.
— Um amigo do senhor chamado Vítor. Lembra-se dele?

Vítor! Um amigo que não saía de nossa casa. Era quase um irmão para mim. Trabalhávamos juntos na agência e era ele quem indicava os veículos que eu deveria levar aos seus proprietários.

Como teria ido morar em nossa casa em definitivo? Será que se casara com minha ex-esposa?

— Eu me lembro dele, minha filha. Quando ele foi para nossa casa?
— Pouco depois da sua partida. Mamãe disse que o senhor havia morrido e que ele seria o nosso novo papai.
— Entendo.
— Ela mentiu, porque o senhor não morreu e estou sentada no seu colo agora.
— Foi logo que eu parti que ele foi para nossa casa?
— Sim. À noite, depois de o senhor viajar, ele veio e dormiu no quarto dos fundos, onde sempre ficava. Lembra-se?
— Sim.
— Pois é. No dia seguinte, ele foi trabalhar, e à tardinha veio com um papel na mão, dizendo que o senhor havia sofrido um acidente e morrido. Todos nós choramos muito e ele ficou lá para consolar mamãe. Depois não saiu mais de casa.
— Continue, filha.

— Bem, uns tempos depois ele começou a dormir no seu quarto com mamãe, e ela falou que ele era o nosso novo papai.
— Continue, filhinha.
— Depois eles começaram a brigar muito, e nós fomos espancadas por ele muitas vezes.
— Como foi que você se feriu, minha querida?
— O Vítor ficou nervoso e me bateu. Como eu não parava de chorar, ele me empurrou pela escada e eu me machuquei toda. Mas agora já estou boa, papai, e não quero voltar mais para a nossa casa.
— Está certo, filha. Você fica aqui conosco enquanto for necessário.
— Não me mandarão de volta para casa?
— Eu não deixarei que isso aconteça, Eliana. Agora descanse mais um pouco que preciso trabalhar.
— Onde é sua casa nova, papai?
— Nós moramos aqui mesmo, querida. Você ficará conosco e logo terá uma porção de amigos para se distrair. Agora vá para sua cama e descanse.

Ela deitou-se e eu saí do aposento tornado por uma revolta.

"O canalha do Vítor nem esperou meu corpo esfriar e caiu em cima de minha pobre esposa", pensei.

"Maldito! Eu o tinha na conta de um irmão leal. Mal desencarnei e ele se apossou de minha família e matou minha pequena Eliana. Mais uma a partir do mundo terreno antes do tempo por causa de um canalha."

Eu procurei o responsável pela ala em que trabalhava para aconselhar-me.

— Acalme-se, Mário. Você nada pode fazer para alterar o estado atual de sua família no mundo terreno.
— Mas o canalha já matou minha pequena Eliana, e nada o impedirá de cometer outros crimes contra minha família.

— Deus a tudo vigia, Mário. Não se esqueça disso, e confie nele.

— Então, como não interveio para impedir um ato tão abominável como esse praticado contra minha Eliana?

— Ele sabe de tudo, e a você compete confiar em Sua justiça perfeita.

— Que justiça, irmão Marcelo? O canalha que me tirou da carne está impune até hoje, e agora esse outro também ficará, porque certamente contou outra versão para a morte de Eliana.

— Os homens podem falhar, mas Deus não. No tempo certo, Sua justiça implacável colherá em seus fios inquebráveis todos os devedores.

— Até que isso aconteça, fico de braços cruzados, não?

— Isso mesmo. Mas, em vez de cruzar os braços, aconselho-o a ficar de mãos postas e orar a Deus, para que ampare sua esposa e filha que ainda estão na carne, pois é a única coisa permitida a você nesse momento.

— Não posso ir dar uma olhada em minha esposa e minha filha?

— Se depender de autorização minha, não.

— Mas por que não? Eu sinto saudades delas e gostaria de revê-las, ainda que fosse só por uns instantes, irmão Marcelo.

— Por que não fala com o superior?

— Vou procurá-lo agora mesmo.

Eu procurei o superior Fernando e o convenci a me deixar visitar minha família. Dois outros auxiliares socorristas conduziram-me até minha antiga casa.

Eu aprendi como me volatizar no espaço e fiquei estarrecido com o que vi na casa, ao chegar ali: Vítor, o meu quase irmão, estava bêbado e caído sobre uma poltrona na sala. Além dele, estava na casa minha outra filha chamada Priscila, de 13 anos de idade. Ela era muito bonita, e já assumira as feições de uma mocinha.

Chorei muito ao vê-la. Lancei-me em sua direção e a abracei, emocionado pelo reencontro.

Só com muito custo fui separado dela pelos meus acompanhantes.

— Vamos, Mário. Você não pode envolvê-la com suas vibrações de tristeza, pois alterará o mental dela com suas angústias.

— Quero apenas sentir um pouco a minha querida Priscila.

— Deixe-a sozinha, e apenas a observe. Somente isso nos é permitido nestas visitas. Caso você não respeite os limites, nós o levaremos de volta ao abrigo.

Nesse momento, o canalha do Vítor despertou e veio até a cozinha, onde ela preparava o almoço. Ao aproximar-se, abraçou-a por trás. Ela deu um grito e safou-se dos braços dele, que ainda estava atordoado pelos vapores do álcool.

— Não toque em mim, seu bêbado sujo! – falou ela com ódio.

— Acalme-se menina, ou lhe dou uma sova.

— Não se aproxime de mim! – tornou a gritar.

— Eu só quero abraçá-la um pouco e beijá-la, Priscila.

— Vou contar tudo para minha mãe, Vítor.

— Se fizer isso, eu mato vocês duas.

Priscila começou a chorar e saiu para o quintal.

Eu sentia tanto nojo do miserável que tentei esmurrá-lo, mas meu punho passou pelo seu rosto imundo sem lhe causar nenhum mal.

— Não adianta socá-lo, Mário. Lembre-se de que você está em outro plano que não é o material.

— Não posso deixá-lo fazer isso com minha filha, irmão.

— Vamos voltar ao abrigo e contar o que vimos ao superior para que ele tome alguma providência em relação à sua filha.

— O que poderá ele fazer com um verme desses?

— Só falando com ele para sabermos. Vamos rápido, e logo algo será feito.

Voltamos ao abrigo em segundos, e fomos direto ao encontro de nosso superior.

Após contar a ele o que vimos, ele ficou pensativo por um longo tempo. Depois falou-me:

– Não sei como solucionar um caso como esse, Mário. Minha função é de socorro espiritual, e não de proteção aos encarnados.

– Mas algo precisa ser feito, superior Fernando.

– Eu sei disso.

– Então, o que preciso fazer para proteger minha filha Priscila?

– Irei falar com o meu superior e aconselhar-me. Sei que ele saberá como nos auxiliar em um caso como esse.

– Mas precisa ser rápido. Ele está decidido a violentar minha filha. Nós o vimos e ouvimos, e não há a menor dúvida quanto a isso.

– Está certo, Mário. Irei imediatamente e, tão logo eu tenha uma solução, voltarei e lhe direi quais as providências que serão tomadas.

– Obrigado, superior Fernando. Sinto estar lhe dando trabalho além daquele que já tem, mas é minha filha que corre perigo junto ao maldito que assassinou minha filha menor.

– Não pense nisso, Mário. Ore para que tenhamos sucesso.

– Farei isso, superior Fernando.

Ele foi ao encontro do seu superior em um local desconhecido por nós. Eu fiquei a orar, aflito por minha filha.

Quando voltou, foi até o quarto de minha filha Eliana, onde eu conversava com ela. Com um sinal chamou-me, e fomos a um lugar afastado, onde ouvi suas palavras confortadoras:

– Eu falei com meu superior sobre a gravidade da situação em sua casa terrena. Ele ficou muito preocupado e designou dois irmãos protetores para guardarem sua filha.

— O que farão para evitar que ela seja molestada pelo canalha?

— Não sei como atuam, mas cuidarão dela. Quanto a você, tranquilize-se e volte aos seus afazeres no abrigo.

— Está certo, superior Fernando. Mas não consigo esquecê-la.

— Dentro de alguns dias irá vê-la novamente, Mário. Então se acalmará e verá que está tudo bem com ela.

— Assim espero!

Eu voltei aos meus afazeres um pouco mais calmo, mas não conseguia esquecer o rosto aflito de minha filha Priscila. Um ódio muito forte contra Vítor começou a se formar em meu mental. "Um dia eu me vingo deste verme", pensava.

Os dias se passaram, e vi quando dois espíritos vestidos com roupas diferentes das nossas chegaram apavorados ao abrigo. Foram direto ao gabinete do superior Fernando.

Pouco depois ele saía acompanhado pelos dois, vindo até mim.

— Parece que de nada adiantou a presença dos protetores. Sua filha foi molestada, Mário – disse ele assustado.

— Meu Deus! De nada adiantou eu orar por sua proteção.

Eu comecei a chorar de tristeza e ódio. Como eu já havia aprendido a me volatizar, rumei para minha antiga casa terrena.

A cena que vi deixou-me possesso: o canalha esbofeteava a minha tão amada filha Priscila e a ameaçava de morte caso contasse algo à sua mãe.

Eu o agarrei com ódio, e acho que o ódio foi tão intenso que o tonteou por um momento. Eu o socava, xingava e amaldiçoava, mas não conseguia jogá-lo no chão.

Nesse instante, chegaram o superior Fernando e os dois protetores.

— Mário, acalme-se! – gritou o superior.

— Como, se vejo o desgraçado arruinar minha filha por causa do maldito prazer?

— De nada adianta você se desesperar, pois somente irá se atormentar mais do que já foi atormentado.

— Já estou atormentado ao extremo, superior. Mais que isso, não posso ficar.

— Vamos voltar ao abrigo e deixar que os irmãos protetores cuidem dela, Mário.

— Eu não sairei daqui enquanto não me vingar desse canalha. Ele matou uma e arruinou a outra, e deve pagar pelos seus crimes.

— Isso quem decide é Deus, Mário. Não se desespere, porque logo a justiça divina irá castigá-lo.

— Até lá, ele poderá causar outra morte dentro da minha família.

— Não creio, Mário. Ele já conseguiu o que queria e logo irá pagar pelo que fez.

— O homem que colidiu contra o automóvel dirigido por mim pagou?

— Não sei.

— Esse verme pagou pela morte de Eliana?

— Ainda irá pagar.

— Quando?

— No dia em que a Lei Divina voltar-se contra ele, tudo será ajustado.

— A Lei Divina! Muito boa essa lei, não? Permite que os canalhas façam o mal na Terra e fiquem impunes.

— Ela é perfeita, Mário. Não julgue mal as coisas de Deus, senão será castigado também.

— Mais do que já estou sendo, é impossível.

— Pois não duvide disso, e volte ao abrigo imediatamente.

— Não vou voltar, superior Fernando. Talvez eu possa fazer algo pelo que resta de minha família.

— Mas você tem Eliana para cuidar, Mário. Ou irá se afastar agora que ela mais precisa de você?

– Meu Deus, como posso ter paz estando dividido dessa maneira?

– Cuide de Eliana agora, e no futuro poderá auxiliar a sua filha que sofre nas mãos desse infeliz.

Com muito custo, ele me convenceu a voltar ao abrigo.

Quando fiquei sozinho em meu quarto, chorei muito.

Eu estava bastante deprimido, e a tristeza envolvera-me por completo.

Os dias passavam, e eu pouco conseguia fazer de útil no abrigo. Ficava a maior parte do tempo recolhido no meu quarto.

Fui chamado até a sala do superior Fernando, e ele ainda tentou me recolocar no caminho luminoso, mas perdeu seu tempo.

Eu o ouvia, mas não prestava atenção nas palavras com que ele tentava me convencer do erro que eu estava cometendo.

Alguns dias mais tarde, minha filha Eliana foi levada por um grupo de espíritos muito elevados. A explicação que me deram foi que ela seria encaminhada para uma esfera luminosa onde conviveria com outras crianças de sua idade.

Foi mais um motivo de tristeza para mim, pois só ela conseguia retirar-me da profunda depressão. Procurei assimilar sua partida, mas o que consegui foi mais tristeza e solidão.

Capítulo 3

A Vingança

Depois de alguns dias eu também abandonei o abrigo.
Fui ao mesmo banco na praça da estação ferroviária e fiquei sentado imaginando como me vingar do canalha que arruinara minha família após minha morte.
Resolvi ir até minha antiga casa, e logo eu estava dentro dela.
Os dois protetores estavam ao lado de minha filha Priscila. Conversei com eles e quis saber como estavam se saindo na sua proteção.
— Estamos evitando que ela seja maltratada por esse infeliz.
— Infeliz não. Ele é um canalha, meus amigos. Um dia eu me vingo dele, custe-me o que custar para conseguir.
— Você não deve tomar a justiça em suas mãos, Mário.
— Isso é pessoal, e assim será resolvido.
O dia passou, e vi quando minha esposa voltou para casa. Como ela estava diferente!
Toda sua beleza e encanto de outrora haviam desaparecido, e a mulher que eu via agora era uma caricatura grotesca da minha querida Ângela.
— O que está abatendo minha esposa, protetores?
— Muito desgosto, Mário. Ele a tem feito sofrer demais em virtude de suas bebedeiras, e também pela morte de Eliana.

— Ela nunca precisou trabalhar fora de casa. Acho que isso também a tem maltratado.

— É apenas mais uma responsabilidade, somada às muitas com as quais ela tem de se preocupar.

— Vou ficar aqui um pouco, meus amigos.

— Por que não volta ao abrigo?

— Estou muito deprimido para ser útil onde eu trabalho.

— Falou com seu superior?

— Não, mas ele sabe que só posso ter vindo para cá.

— Está bem, mas procure controlar-se, pois verá e ouvirá coisas que não lhe agradarão nem um pouco.

— Procurarei controlar-me.

— Se não fizer isso, nós nos retiraremos.

— Não se preocupem comigo. Eu acertarei as contas com Vítor fora desta casa.

Mas o que vi e ouvi foi muito mais que desagradável.

Descobri que minha esposa Ângela já me traía com Vítor muito antes de meu desencarne, e que as longas viagens arrumadas por ele eram apenas para me afastar de casa e serviam para deixá-los mais à vontade.

Vi-o também abusar de minha pobre filha Priscila, como se ela fosse uma escrava dele.

Eu o odiava com tal intensidade que conseguia irradiar meu ódio a ele, mas isso só fazia com que ele maltratasse ainda mais as duas.

Fui obrigado pelos protetores a sair da casa para que pudessem cuidar melhor de minha filha, pois ela estava grávida do canalha.

Caminhava pelas ruas em desespero e o amaldiçoava com todo o ódio possível ao meu ser imortal.

Eu estava com tanto ódio que atraí a atenção de um ser das Trevas, que veio até onde eu estava.

— O que posso fazer por você, amigo?

— Você é um demônio?
— Eu? Está louco? Sou apenas alguém que ouviu seus lamentos de impotência diante das malvadezas de um canalha.
— E de que me adianta isso?
— Eu posso ajudá-lo a eliminar o canalha da face da Terra.
— Como?
— Vamos com calma, amigo. – disse ele – Isso exige uma série de coisas.
— Quais?
— Não podemos eliminá-lo dentro de sua casa, porque há dois protetores vigiando-a. Temos de encontrar um meio de matá-lo quando ele sair.
— Ele passa boa parte do seu inútil tempo à beira dos balcões dos botecos e adegas, ingerindo bebidas alcoólicas – esclareci ao estranho.
— Ótimo! Vamos segui-lo assim que sair de casa e procurar o melhor momento para eliminá-lo.
E nós o seguimos quando saiu de casa. Ele foi a um bar próximo e começou a beber, mas logo voltou para casa.
— Não foi dessa vez, amigo. Mas não se desespere, nós o pegaremos logo.
— Vai ser difícil matá-lo. Eu já tentei e o que consegui foi apenas atordoá-lo por um instante.
— Tudo bem. Você ainda não sabe como fazer essas coisas. Venha comigo que irá aprender como eliminar um canalha da face da Terra.
— Vai eliminar outro?
— Lógico! A Terra está cheia deles e, se não os tirarmos do corpo carnal, continuarão a praticar todo tipo de crime.
— Isso é verdade. Mas como acabar com eles?
— Quer aprender como atingir um verme igual a esse que vem destruindo sua família?
— Sim.

— Então, venha comigo e aprenderá como é fácil acabar com eles. Basta sabermos quando atingi-los.

Eu o segui, e em pouco tempo comecei a aprender como atingir um canalha. Até o ajudei na hora de eliminar um outro, tão safado quanto Vítor.

Foi com uma ponta de prazer que eu o vi ser lançado para debaixo de um bonde em alta velocidade. Foi tudo tão rápido que todos pensaram que o homem havia se suicidado. Imediatamente, uns auxiliares do tal ser das Trevas agarraram a alma do canalha e sumiram com ela.

Eu perguntei para onde o haviam levado, mas ele não quis me levar até o lugar. Apenas me disse:

— Agora ele pagará por tudo o que fez de errado aqui na Terra. Irá pagar muito caro pelas vidas que prejudicou.

— Mas, e a tal Lei Divina?

— Que lei é essa?

— A lei que ouvi dizer que castiga os assassinos.

— Por acaso você acha que alguém vai se preocupar com esses canalhas? Temos de acabar com todos aqueles que cometem crimes, senão ninguém mais o fará, e eles continuarão praticando o mal impunemente.

— Eu ouvi dizer que há uma Lei Maior que os pune.

— Então eu sou um agente da Lei, porque não faço outra coisa senão acabar com esses canalhas. Venha comigo, temos outro para eliminar.

E fomos atrás de outro criminoso. Com esse demorou um pouco mais, mas também foi eliminado.

Ele me levou ao lugar para o qual eram conduzidos os espíritos criminosos e fiquei assustado com o que vi.

Aquilo era um horror! Ali os devedores eram castigados sem piedade alguma. Para dizer a verdade, eram reduzidos a nada. Sofriam todo tipo de tortura, tanto física quanto mental.

Seres bestiais guardavam-nos, e de vez em quando descarregavam seu ódio naqueles que para lá eram levados.

Eu observei tudo por ali e, não sei por que, senti-me perdido naquele lugar. Então o ser das Trevas falou-me, irado:
— Está com pena deles, Mário?
— Não sei dizer ao certo.
— Então suma daqui! Não suporto espíritos fracos, que sentem pena de canalhas que tomam suas esposas, matam suas filhas e violentam e agridem outras inocentes de 13 anos de idade. Como são fracos e esquecem rápido os idiotas ofendidos!
— Não estou arrependido e nem sou fraco. Apenas não estou acostumado com isso.
— Pois se acostume, ou suma daqui e volte a chorar ao lado de sua filha e de sua esposa que sofrem nas mãos daquele criminoso frio.
— Eu fico, porque quero acabar com ele.
— Então, veja se arruma uma arma para você.
— Que arma?
— Igual às que usamos. Elas nos são muito úteis em nosso trabalho na crosta terrestre.
— Que tipo de trabalho?
— Todo tipo. Às vezes somos requisitados para castigar muitos que estão prejudicando seus semelhantes, e precisamos de nossas armas.
— Que tipo de trabalho é esse?
— Com o tempo você conhecerá tudo por aqui e lá na crosta. Agora devemos nos concentrar no rato que desgraçou sua casa.

E assim fizemos. Eu apanhei uma arma afiada e voltamos a espreitá-lo. Logo surgiu uma ótima oportunidade, quando Vítor estava bêbado e xingando a todos em um boteco imundo e de má fama.

Um dos homens ali dentro trazia um punhal oculto sob seu paletó, e também estava alterado pelo álcool. Com um pouco de influência nossa, os invisíveis, Vítor começou a xingá-lo.

Como eu o odiava, irradiei todo o meu ódio no mental do homem com o punhal, e logo eles começaram a discutir. Minha vontade de matar Vítor era tanta que o homem puxou do seu afiado punhal e o cravou no peito dele. Foi um golpe mortal que perfurou o coração de Vítor, que caiu no chão já morto.

Eu fui um dos que arrancou seu espírito do corpo que jazia no chão. Ali começou o pior dos castigos para Vítor.

Meu ódio por ele era tanto que cravei muitas vezes minha arma em seu corpo espiritual. Eu não podia fazê-lo morrer mais uma vez, mas feri-lo eu podia. E fiz isso por muito tempo.

Quando ele me via, gritava apavorado. Eu o torturava com um prazer que ultrapassava o sadismo. Deixei-o reduzido a frangalhos, e o mantinha acorrentado na minha nova morada nas Trevas.

Certo dia, voltei à minha antiga casa para ver como iam minha esposa e minha filha. Nova desgraça havia acontecido: Priscila já não estava morando mais ali e os dois protetores não estavam na casa.

Quanto a Ângela, pelo que pude observar, havia se tornado uma prostituta, pois vi quando o homem que estava com ela lhe deu algum dinheiro pelo prazer proporcionado a ele.

Aquilo me repugnou. Eu amara aquela mulher um dia!

– Que seja! Está pagando o que me deve por ter me faltado com a confiança e o respeito. Tomara que apodreça na carne para deixar de colocar o prazer acima da moral e da lealdade para com quem a amava e respeitava.

– Ela também pagará, caro Mário. Quer matá-la também? Isso é fácil.

– Não, chefe. Prefiro vê-la apodrecer física e moralmente na carne antes de morrer.

– Tudo bem. Você é quem sabe.

– Eu gostaria de saber onde está minha filha.

Isso é fácil. Tem alguma coisa aqui que pertenceu a ela?

– Sim. Está vendo aquela boneca sobre a cômoda?

– Sim. Venha que vou ensiná-lo como localizar alguém por meio de algo que possua suas vibrações.

E nós localizamos Priscila. Ela, com 14 anos, já estava trabalhando como meretriz em uma casa de prazeres próximo ao cais do porto de Santos.

Aquilo revoltou-me tanto que não tinha uma palavra sequer para dizer.

– Sossegue, Mário. Pelo menos aqui ela estará bem.

– Como irá estar bem em um lugar como esse? Você não está vendo que lugar é esse?

– Sim, mas aqui nós temos domínio, e você poderá protegê-la dos canalhas.

– Como vou protegê-la, se aqui só vêm esses marinheiros e carregadores bêbados, perversos e mal-encarados?

– Vamos até um lugar que conheço e traremos algumas moças para protegê-la.

– Mais protetores que nada fazem?

– Agora é diferente, Mário. Nós não pedimos nada, nós ordenamos.

Fomos até uma região trevosa onde algumas moças mal-encaradas foram recrutadas e levadas para perto de Priscila.

O chefe então ordenou:

– Cuidem para que nada de ruim aconteça com essa encarnada. Se algo acontecer, vocês me pagarão caro.

– Pode deixar tudo conosco, chefe. Saberemos como protegê-la.

– Vamos, Mário?

– Antes vou dar um abraço em minha filha amada.

Eu a abracei comovido com sua sina negra, e não contive as lágrimas que teimavam em brotar dos meus olhos. Mas tive de afastar-me, pois um carregador mal-encarado entrou no quarto e a abraçou, levando-a para a cama imunda.

Então eu falei ao chefe:

– De nada adiantou matar o canalha do Vítor. Agora será muito pior para ela, pois terá de suportar toda a escória do cais do porto.

– Pelo menos agora ela ganhará algo com seu pequeno e belo corpo, Mário. Logo ela sairá daqui e não terá de se sujeitar a eles.

— Como sabe?
— Posso ver isso no seu futuro. Com o tempo ela será uma dona de casa de prazer, e terá grande fortuna. O sofrimento será somente por alguns anos.
— Espero que sim, senão eu a matarei apenas para livrá-la dessa humilhação.
— Humilhação? Olhe só para a danada. Até está gostando do seu novo modo de ganhar a vida.

Eu olhei para Priscila e arrepiei-me todo ao vê-la sentir prazer com o mal-encarado carregador.

Ainda fiquei observando, até que ele se foi.

— Eu vou juntar muito dinheiro com esses idiotas – falou ela enquanto se vestia. – Nunca mais vou passar fome ou apanhar de bêbados miseráveis.

A determinação dela era assustadora. Eu fiquei preocupado com o seu modo de pensar, mas era melhor assim do que ficar com remorsos da única forma de vida que lhe restara.

— Como Deus é injusto! – exclamei. – Quando eu vivia na carne, minhas filhas viviam sorrindo e tudo era alegria. Por que alguém como eu, que nunca prejudicou um semelhante, teve de assistir à ruína de sua casa? Onde está a tal justiça divina, chefe?

— No inferno, Mário. Somente lá os canalhas pagam pelos seus erros. Lá sim, há uma justa justiça. Dela ninguém escapa, e basta errar para senti-la.

— E tudo porque dei abrigo ao homem que me parecia leal e de confiança.

— Isso é passado, Mário. Agora ele está pagando pelo mal que causou a você e aos seus.

— Mas ainda é pouco. Muito mais haverá de sofrer nas minhas mãos.

— Está certo. Castigue-o o quanto quiser. Eu o ofereço a você, para que seja seu escravo de hoje em diante. Agora vamos, que estou sendo chamado e devo atender.

Capítulo 4

O Guardião Executor e o Guardião Transformador

Eu fui com ele. Era um chamado para atuar na magia negra e aprendi mais algumas coisas naquela noite. Dali para a frente, fui me degradando ao máximo. Cada vez mais, eu fazia coisas piores sob as ordens do meu chefe. Até aquela cena que assistira um dia no ônibus que me levava para São Paulo, e que me repugnara, eu já repetia com prazer. Era a degradação total de alguém que um dia fora chamado de "bom homem"!

Do meu passado nada mais restara, senão vagas lembranças. Eu já possuía uma infinidade de escravos, e os utilizava à vontade em todo tipo de serviço sujo.

– Nós somos a justa lei que castiga os canalhas, Mário – dizia o meu chefe.

Eu levava comigo muitos espíritos de mulheres nuas ou seminuas, tão cruéis quanto eu, que usava para me divertir quando queria.

Tudo o que há de abjeto, eu pratiquei com o auxílio delas, e elas comigo. Quanto a Vítor, era agora como um cão amestrado e fazia tudo o que eu ordenava rapidamente. Vivia me pedindo perdão por ter destruído minha família, e toda vez que tocava no assunto apanhava muito.

Eu tinha em meu mental um ódio tão grande de canalhas que os destruía sem a menor complacência. Até os outros iguais a mim temiam a minha frieza ao fazer meu trabalho sujo. E eu sentia prazer ao derrubar um verme e mandá-lo para o inferno.

Participei de poucos trabalhos sujos de magia negra porque, quando eu via que o seu praticante era um canalha, logo estava dando um jeito de levá-lo para as Trevas. Não foram poucos os que levei para o inferno comigo.

Como eu odiava os canalhas! Nem a mais venenosa serpente era tão perigosa quanto eu, quando se tratava de destruir alguém.

E tudo por causa de minhas filhas Eliana, tirada do corpo carnal antes do tempo, e de Priscila, feita meretriz no cais do porto de Santos até o ano de 1968, quando foi assassinada em uma repressão policial. O canalha do policial que a matou morreu duas semanas depois, e está jogado em um lugar escuro do inferno até hoje, porque também havia tirado a vida de muitas outras pessoas inocentes.

Mas quem acabou ficando com o seu espírito sujo não fui eu e sim o meu chefe, que tinha primazia sobre ele. Porém, eu não deixei de torturá-lo um pouco também.

Eu era o que era, e não tinha um pingo de pena de quem fosse um canalha.

Devido aos métodos ultraviolentos de realizar meu trabalho, acabei sendo colocado de lado pelo meu chefe e fiquei sem ter muito o que fazer.

Então, comecei a vagar à toa pela Terra. Olhava tudo com desgosto e amargura, e pouco a pouco fui me livrando dos meus escravos. Já não via necessidade de carregar uma falange negra grande.

Foi assim de 1972 até 1983, um longo período, que serviu para que eu meditasse muito sobre tudo o que havia feito por pura vingança contra os canalhas que arruinaram as vidas de pessoas na Terra.

Sim, como eu havia odiado e castigado aqueles que caíram sob meu poder. Eu os reduzia a farrapos humanos e posso garantir que nenhum deles, se voltar a reencarnar, será mau ou terá coragem de prejudicar a quem quer que seja, pois o castigo foi tão implacável que ficou gravado em seus mentais como o pior dos tormentos já sofridos em todas as suas existências milenares. De uma coisa eu sei: quando voltarem à carne serão boas pessoas ou grandes medrosos, que não poderão ver a cor do sangue que desmaiarão.

Tudo isso eu fiz a centenas de canalhas.

Levei para o inferno pastores, padres, médicos, policiais, marginais, políticos e toda espécie de canalha que torna imundo aquilo que deveria ser belo e bom.

Até religiosos canalhas meu chefe mandou que eu tirasse da face da Terra. E não foram só religiosos cristãos, não. Eu agi em muitos países, pois a morte violenta existe em qualquer lugar do mundo. Bastava o chefe mandar e lá estávamos nós, seus escravos, a executar suas ordens.

De quem ele recebia suas ordens, eu não sei, mas alguém lhe dava os nomes dos canalhas que deveriam sumir. Até hoje isso continua a ser feito, pois de vez em quando vejo passar por aí alguns escravos do chefe e logo desaparecem com um canalha desses que sujam a Terra.

Quanto a mim, acabei ficando quase sozinho. O chefe já não me dava trabalho. Não sei dizer por que, pois eu era eficiente nas minhas ações.

Como minha filha Priscila ligou-se a uma dama das Trevas, eu a acompanhava de vez em quando em algum trabalho no astral inferior. Só a minha presença ao seu lado era suficiente para que se resolvesse qualquer missão mais difícil. Sim, eu era um ser temido no lado escuro, devido ao meu ódio aos canalhas, e canalhas é o que mais existe no lado escuro!

Para minha filha, eu era seu braço direito armado a escoltá-la quando descia muito fundo nas Trevas.

Assim foi por vários anos, até que ela cruzou o seu caminho, amigo Rubens.

— O meu caminho?
— Eu explico.
Um dia alguém pediu algo a ela, e isso implicava atingi-lo. Ela me disse que precisava atender o pedido de um encarnado contra um sacerdote canalha.

Imediatamente eu senti meu ódio renascer.
— Um canalha? Quem é ele, Priscila?
— Logo vamos atacá-lo, papai. Antes temos de descobrir seus pontos fracos, porque ele tem alguns protetores a guardá-lo.
— Mas, se tem protetores, como pode ser um canalha?
— Isso acontece às vezes. Devido aos laços passados, trabalho a ser feito na face da Terra, etc., tem protetor.
— Está certo. Mas acho perigoso fazer algo contra quem tem protetores.
— Já estive dando uma olhada, papai. Vai ser fácil atingi-lo.
— Cuidado, filha.
— Não se preocupe. Com sua ajuda, vai ser fácil.

É isso, amigo Rubens. Era o ano de 1984, e eu praticamente só fazia algo quando Priscila ou alguma outra companheira dela me pedia.

Pois bem. Você sabe o que fazia naquela época como mediador entre os dois planos. Se você era muito ativo por um lado, pelo outro era muito fraco, porque deixava um largo flanco a descoberto. E eu observei muito bem suas fraquezas como médium de incorporação.

Foi então que minha filha começou a atuar contra sua casa. Pouco a pouco, ela começou a atacá-la enviando alguns escravos para lá. Mas todos sumiam. Quanto mais eram enviados, mais desapareciam, e o trabalho não era realizado.

— Que trabalho? — perguntei curioso.
— Destruí-lo, meu amigo. Esse era o pedido feito a Priscila. Alguém havia pedido a ela, em um ritual de magia negra, que o destruísse, e ela tinha de realizar a tarefa, pois isso lhe foi ordenado por sua chcfc.

Bem, ela tentou um ataque mais direto e caiu nas garras de um guardião à sua esquerda, que a reduziu a um trapo. Quando a soltou, ela já não era a mesma, porque tinha seu corpo espiritual todo ferido. Eu fiquei louco quando a vi naquele estado, e falei revoltado:

— Vou matar esse canalha e levar seu espírito para um lugar que não tem saída. Lá, eu o reduzirei a nada, e depois vou fazê-lo meu escravo para todo o resto de sua eternidade.

— Cuidado, pai, pois o guardião à esquerda é muito perigoso e poderoso. Não será fácil iludi-lo.

— Já topei com tipos como esse, que protegem canalhas ligados às religiões.

— Está certo, pai. Eu também vou buscar mais auxiliares para atacá-lo de forma mais sutil. Desta vez, minha chefe irá junto para cumprir o que lhe foi pedido.

Bem, meu amigo. Eu tratei de arranjar uma legião para me ajudar no intento de eliminá-lo. Busquei os mais frios assassinos, acostumados a executar as ordens do meu chefe. Ele quis saber por que eu precisava de perigosos auxiliares.

— Vou eliminar um canalha da face da Terra.

— Mas eu não lhe ordenei que fizesse isso.

— Não é a pedido seu, e sim da chefe da minha filha Priscila.

— Compreendo. Mas precisa dos meus escravos para executar tal tarefa?

— O caso agora é um pouco mais grave. Alguém quase destruiu minha filha, e quero acabar com ele também.

— Quem é ele?

— O guardião do canalha. Penso que se acha muito poderoso e seguro de sua impunidade. Mas irá se arrepender por ter tocado em Priscila.

— Você continua a destruir todos os que tocam nela, não?

— Sim, chefe. E esses dois, o encarnado e seu guardião à esquerda, vão pagar muito caro por terem reduzido Priscila a frangalhos.

Nesse momento, um outro chefe de legião apareceu, e deu-me uma olhada rápida. Eu me arrepiei todo, pois seu olhar frio transmitia ódio.

Mas, como ele não me olhou mais, imaginei que não era comigo e me retirei rápido. O meu chefe e ele ficaram se olhando; eu me afastava.

Se eu tivesse ouvido o que discutiam, certamente teria deixado você em paz imediatamente. Meu chefe tomou a iniciativa do diálogo:

— O que deseja daqui, guardião?

— Esse idiota que acabou de sair.

— Só ele?

— Não, mas aqueles que quero ele me entregará, quando começar o seu tormento purificador.

— Vai transformá-lo?

— Sim.

— Por quê?

— Meu correspondente na Luz ordenou-me para atuar nesse sentido em relação a ele e o que restou de suas ligações na última encarnação.

— Por quê?

— A filha desse imbecil está incomodando alguém que tenho a obrigação de defender à esquerda.

— Compreendo. É o tal canalha mediador de quem ele me falou há pouco, não? Você também o estava ouvindo?

— Exatamente. Mas o mediador não é um canalha. Pode ser um idiota, mas não um canalha.

— Mário não costuma enganar-se a respeito dos canalhas.

— Neste caso está enganado. A chefe da filha dele é inimiga milenar do meu protegido, e a iludiu com uma conversa falsa. Ela está usando suas escravas mais cruéis para atormentá-lo na carne, e espera destruí-lo em pouco tempo.

— Isso vai ficar muito feio, não?

– Muito mesmo! Se ela insistir nos propósitos vingativos, acabará sofrendo o choque da Lei.
– Quero ver isso, guardião.
– No tempo certo, eu lhe mostrarei.
– Mário vai levar um grupo muito forte e perigoso.
– Ótimo. Eu não esperava outra coisa. Conheço sua forma de atuar. Foi bom enquanto lhe permitiram, mas agora é hora de ele sentir o gosto amargo do remédio que aplicava aos que faziam da força um hábito, e o hábito era o medo.
– Mas e quanto aos que ele vai levar consigo?
– O que tem eles?
– São perigosos e capazes de conseguir o que se propõem a fazer. Eles não têm regras definidas para alcançar seus objetivos.
– Quem é perigoso, executor? – falou ele, rindo.
– Sim, quem é perigoso, guardião? – gargalhou o meu chefe.
– E quanto aos outros que não serão transformados, guardião? – tornou a perguntar meu chefe.
– Ou lhe devolvo depois de torturá-los um pouco, ou fico com eles para mim.
– E a filha dele? Ela é o tormento maior de Mário, e o conduziu à linha dos executores.
– Alguém na Luz está do olho nela.
– Então vou perder uma bela fêmea.
– Isso o preocupa?
– Nem um pouco, mas vou ficar solitário.
– Eu lhe mando outra melhor, que não esteja sujeita a uma transformação tão cedo.
– Quanto tempo?
– Uns dois séculos.
– De acordo, guardião! Quando você nos tira alguém, sempre o substitui por outro melhor.
– Só procuro agradar aos meus amigos com o que há de melhor.
E os dois começaram a sorrir.

Eles, mais que nós, tinham poder sobre os que vagavam nas trevas da ignorância. Em verdade, nós éramos instrumentos deles, os grandes guardiões. Um era um guardião executor, e o outro, um guardião transformador.

Eu não havia dado ouvidos aos protetores da Luz nem ao chefe do abrigo. Então me conduzi como um tolo aos domínios do guardião executor. Eu estava possuído pelo ódio a Vítor e desejava matá-lo. Assim, só me restava dirigir-me aos seus domínios. Mas, depois de dar vazão a todo o meu potencial destrutivo, eu iria sofrer a ação de um guardião transformador.

Sim, isso existe no astral inferior e, sem que eu me desse conta, estava me envolvendo nas teias de outro guardião, tão implacável quanto meu chefe.

Se antes eu havia dado vazão ao ódio acumulado em meu mental, agora seria mil vezes pior, porque teria de purgá-lo por inteiro.

O que haviam feito a Priscila era apenas uma amostra do que um grande grupo de espíritos estacionados nas Trevas iria sofrer em suas transformações. Ou ascenderiam humildes, ou seriam reduzidos ao nada absoluto. Quando a transformação começa, ou eleva ou fulmina os escolhidos para sua ação abrasadora.

E eu ia todo confiante ao encontro do meu novo destino, imaginando que logo teria vingado Priscila, destruído um encarnado canalha e feito meu escravo seu protetor à esquerda.

Ia acompanhado de um grande grupo de executores. Todos vibravam igual a mim no ódio aos canalhas, e só tínhamos um objetivo: destruí-lo, amigo Rubens!

Por sua vez, minha filha já iniciara um ataque fulminante contra sua casa e seu local de trabalho. De um lado levava irradiações maléficas e, do outro, a perturbação no seu ambiente de trabalho. Eu sabia como Priscila era boa nessas coisas. Raramente ela falhava quando começava a atuar dessa forma.

Foram dias de grande tormento em sua vida, e isso facilitava o meu trabalho.

Então, eu comecei a atuar. Enviei os primeiros auxiliares contra sua casa e fiquei esperando os resultados à distância.

Foi por esses dias que um espírito caído e na forma de uma cascavel aproximou-se de mim e falou:

– E aí, chefe? Também está querendo acabar com o canalha?
– Estou.
– Quer ajuda?
– Quem é você?
– Eu sou o que o senhor está vendo.
– Então é nada!
– Isso mesmo, chefe. Eu sou nada. Mas tenho umas contas a acertar, e como sou nada, isso só complica as coisas para mim.
– Como um rastejante quer acertar contas com o canalha? Acaso vocês servem para algo que não seja assustar os tolos?
– Isso é verdade, chefe. Mas posso assistir ao seu lado à queda do meu velho inimigo.
– Não gosto da companhia dos rastejantes. São todos uns canalhas traiçoeiros.
– Sem ofensas, chefe. Ou por acaso se acha melhor que eu?
– Não só me acho, como sou.
– Será que é?
– Lógico, réptil asqueroso. Vocês são todos assassinos traiçoeiros, que foram lançados nas Trevas por desrespeito a Deus.
– O senhor, um assassino, falando na Lei Dele, chefe? Não tem o direito de tocar no nome do Alto.
– Eu jamais matei um inocente.
– O que é ser inocente ou culpado, chefe?
– Inocente é ser como eu, ou minha filha, que caímos por causa dos canalhas.
– Então eu sou inocente, pois caí pela ação de um canalha.
– Quem o derrubou, rastejante?
– O negro que protege o camarada que você quer executar.
– Então, como ele está na Luz e você é o que é, um réptil?

— Isso foi há 300 anos, chefe. Ele já esteve nas Trevas também, mas alguém o ajudou a se levantar e hoje ele protege o seu alvo.
— Como ele o derrubou, réptil?
— Com a sua magia negra.
— Então vamos derrubá-lo também, e não só ao guardião à esquerda.
— Ótimo, chefe. Fico com o senhor?
— Mas não muito perto, senão eu decepo sua cabeça.
— Sem traições, chefe. Só estou tentando unir nossas forças contra o inimigo comum.
— Eu não preciso da ajuda de um rastejante para destruir a minha vítima.
— O que foi que ele fez contra o senhor, chefe?
— Contra mim nada, mas alguém daí torturou minha filha.
— Por que fizeram isso?
— Porque ela estava protegendo uma encarnada.
— Mas o seu alvo atacou a protegida de sua filha?
— Isso eu não sei ao certo, pois foi a chefe dela quem mandou minha filha destruí-lo.
— Então não está atuando como um executor.
— Sim e não. Sim porque vou levar comigo um canalha encarnado, e não porque meu chefe não me ordenou isso.
— Então o senhor está agindo mais por conta própria, ou será somente vingança pela filha torturada?
— Vou vingar minha filha e livrar a Terra de um canalha. Isso o preocupa?
— Sim.
— Por quê?
— Sua ação vingativa pode provocar uma reação forte, e eu pagarei por sua vingança, quando o que quero é só acertar umas contas pendentes.
— Tudo bem. Se está com medo, suma daqui!
— Não é bem assim, chefe. Eu posso agir mais à vontade, se não houver uma reação à sua atuação louca.

— Minha atuação não é louca e tem o propósito de livrar a Terra de um canalha.
— Eu já tentei atingi-lo diretamente e me dei mal.
— Pois eu, se não conseguir atingi-lo, levo um dos filhos dele comigo, e isso irá feri-lo muito mais do que se fosse ele o levado.
— Mas aí o senhor estará provocando a Lei. Isso nem eu, um rastejante, ouso fazer.
— Pois alguém daí não atingiu minha filha?
— Mas foi porque ela atacou primeiro, não?
— Ela só estava cumprindo ordens de sua chefe, que queria que o canalha fosse destruído.
— Então, era um direito legítimo de defesa, não?
— O que é legítimo quando se trata de um canalha?
— Qual o motivo da chefe de sua filha para querer destruí-lo?
— Pelo que sei, ele não merece viver.
— Isto está muito confuso para mim, chefe. Acho que vou cair fora, pois a sua vingança não tem sentido.
— Você é um covarde, isso sim!
— Mas não sou tolo.
— Está me chamando de tolo?
— Sem ofensas, chefe.
— Então?
— Por que não procura saber por que a chefe de sua filha quer vê-lo destruído?
— Eu já sei. Ele é um canalha, e seu guardião muito mais, porque torturou minha filha.
— Você está no caminho errado, chefe. Vou continuar agindo ao meu modo e não vou me envolver com quem está sendo instrumento de uma briga mais antiga.
— Minha briga é recente, rastejante. Nunca antes eu ouvira falar do canalha e de seu guardião.

— Tudo bem, chefe. Lute a seu modo, que eu continuo agindo do meu.
— Você é um covarde, rastejante!
— Sem ofensas, chefe.
— O que fará se eu ofendê-lo?
— Eu?
— Sim, você?
— Nada, chefe. Nós rastejantes não carregamos armas. Não temos braços e nem mãos para esganar aqueles que nos ofendem e, portanto, temos de nos calar. Por isso não compro uma briga injusta. Já me basta o castigo que sofro por ter de rastejar.
— Então suma, antes que eu resolva destruí-lo também, pois é mais um canalha.
— Tudo bem, chefe. Um dia o senhor irá descobrir coisas que o deixarão arrepiado dos pés à cabeça. Nesse dia, irá mudar de opinião sobre nós, os rastejantes.

Capítulo 5

A Lei se Confirma

O réptil desapareceu e eu fiquei intrigado com suas palavras finais. Uma cascavel não chacoalha seu guizo inutilmente, e ela o havia chacoalhado quando dissera aquelas palavras. Imaginei que ficara ofendida com minhas palavras a seu respeito.

Bem, aqueles que eu enviei no primeiro ataque sumiram sem deixar a menor pista. Então enviei outros, que também sumiram.

Foi aí que resolvi usar o Vítor. Ele, com suas dores e seu sofrimento, era ótimo para destruir alguém sem ser notado. Simplesmente aproximava-se, grudava em sua vítima e tirava-lhe toda a energia vital. Em poucos dias, seu alvo caía doente e morria.

Vítor grudou em sua filha, amigo Rubens. Ela ficou doente imediatamente, e sua esposa a levou ao médico. Foi naquele dia em que você foi encontrá-las no consultório, colocou suas mãos na pequenina e puxou para si o espírito que a aniquilava. Vítor entranhou-se em você, e eu então pude assistir ao primeiro golpe forte que o derrubou.

– Lembra-se, amigo Rubens?

– Sim, jamais esquecerei. Custou-me muito caro e até hoje é difícil assimilar o fato, muitos anos já passados.

– Pois eu vibrei de alegria quando o vi cair na cama, doente. Foram dias de expectativa, à espera de sua morte que demorava a acontecer. Mas logo fiquei furioso, porque Vítor sumiu e não o vi mais. Outros que estavam com ele também sumiram.

De repente, muitos outros começaram a desaparecer misteriosamente. Você recuperou-se parcialmente e voltou à ativa. Não havia sido daquela vez que eu o destruiria.

Então, recebi a visita da cascavel repugnante novamente.

– Você falhou, chefe.

– Ainda é cedo para dizer isso, rastejante. O meu próximo golpe será mortal e ele cairá de vez.

– Sabe, chefe, eu estive dando uma olhada e descobri que você está lutando contra um inocente.

– Como assim?

– A chefe de sua filha o odeia. Muito tempo atrás, ela foi uma feiticeira degolada pelo seu alvo. Na época, ela também era uma canalha. Ele pensava como o senhor, e a degolou sem piedade alguma, em vez de tentar dissuadi-la de agir daquela forma. Creio que ela o persegue por causa de uma disputa travada há milhares de anos.

– Isso não muda nada, porque ele é um canalha e deve pagar por isso. Afinal, agora é um feiticeiro, não?

– Ei, chefe, o senhor está confundindo as coisas e causando-me problemas.

– Eu, causando problemas?

– Isso mesmo. A situação está ficando feia para o meu lado, pois estou sendo acusado pelo que o senhor fez.

– Assim é melhor, verme rastejante. Com isso eu fico livre para eliminá-lo de vez.

– Mas, se você fizer isso, eu serei o réu, e isso não é justo.

– Depois eu acabo com você também, rastejante. Continue perto dele e irá facilitar o meu trabalho.

– Por que não vai dar uma olhada na pessoa que sua filha tem obrigação de defender? Talvez descubra coisas que o deixarão estarrecido.

– Você é um canalha, vil réptil! Está se tornando muito ousado e vou acabar me aborrecendo com sua presença incômoda antes do que havia planejado.
– Já planejou o meu fim também, chefe?
– Sim. Depois de acabar com o canalha encarnado, vou cuidar de você, isso se não resolver fazê-lo antes.
– Então devo colocá-lo na lista dos meus inimigos?
– Faça isso, rastejante.
– Você não quer ouvir a voz do bom senso, não é mesmo, assassino?
– Você é a voz do bom senso?
– Eu sou a voz que está dizendo a você para dar uma olhada na chefe da sua tão amada filha e terá surpresas arrepiantes. Estou dizendo para dar uma olhada na protegida de sua filha e o senhor não está me ouvindo. Estou lhe dizendo que está me causando problemas, e faz-se de surdo. Então, clame por mim no dia do seu juízo final. Somente eu poderei salvá-lo do seu maldito ódio contra os canalhas. Somente eu poderei salvá-lo, maldito canalha!

A cascavel chacoalhava o guizo incessantemente. Eu resolvi acabar com ela ali mesmo, mas não foi possível. Centenas de outras cascavéis iguais a ela brotaram do solo e ficaram a chacoalhar seus guizos infernais, prontas para saltarem sobre mim. Resolvi cair fora enquanto podia, pois eu já não sabia quem era aquela que me chamara de maldito canalha.

Alguns dias depois, encontrei minha filha. Ela havia conseguido algum sucesso no objetivo de prejudicá-lo no seu trabalho e estava confiante em que logo o arruinaria de vez. Traçamos uma estratégia comum, na qual eu teria por incumbência destruir-lhe a saúde, e ela, as economias.

Tudo ia muito bem, até que, sem mais nem menos, ela e toda a sua falange de auxiliares sumiram sem deixar vestígios. Eu a procurei por todos os lugares imagináveis, e nem sinal dela. Resolvi falar com a chefe dela. Encontrei uma mulher furiosa que o odiava mil vezes mais que eu.

— O maldito sumiu com várias auxiliares minhas, e não só com sua filha. Ele ainda irá me pagar por mais essa ofensa.
— Qual o motivo do seu ódio por ele?
— O canalha tirou-me o direito de viver na carne, muitos séculos atrás. Um dia vou tê-lo em minha corrente, e então o arrastarei por todo o inferno apenas para me alegrar com sua destruição.
— Antes ele será meu, pois sumiu com minha filha.
— Vá até ele e mate-o, Mário. Vá e traga-me o canalha.
— Vou fazer isso, dona, não se preocupe. Só que, quando eu o der a você, já não servirá para mais nada.
— Não importa como o traga. Eu o aceitarei de qualquer jeito. Se quiser, leve uma legião com você.
— Aqueles que levarei comigo até você os teme, dona.
— Ótimo, Mário. Mas, antes de ir de vez, vamos nos divertir um pouco. Isso aqui está um tanto monótono.

Fomos em busca de diversão em uma boate na crosta terrestre. Foi minha última noite de diversão pois, quando reuni o que havia de pior no inferno e parti para o ataque fulminante, vi à sua volta vários protetores luminosos.

Mas não me detive ante a presença deles, e começamos a irradiar pesado contra você e sua família. Foi naquela noite em que seu guardião riscou um ponto cabalístico e queimou pólvora sobre ele, lembra-se? Eu não percebi, antes que fosse tarde.

Quando me dei conta, já estava preso em uma armadilha mortal e me vi jogado no meio do ponto cabalístico. Ainda ouvi a gargalhada do seu guardião quando incendiou o ponto mágico. Eu me lembrei que aquela gargalhada era igual à gargalhada da rastejante cascavel, mas nada mais pude pensar: o fogo queimou o meu corpo espiritual.

Em uma fração do segundos, toda a dor que eu já sentira não era nada comparada à dor do fogo me consumindo. Tudo o que eu já sentira em décadas simplesmente não havia sido nada, porque agora eu chegava às raias da loucura, tão intensa era a dor. Eu urrei de dor e desespero, e fui lançado em um espaço sem-fim, indo cair aos pés do tal guardião que eu vira conversando com o meu chefe, e que comentei linhas atrás.

Meu corpo espiritual simplesmente não mais existia. Onde deviam existir pernas, braços, tronco, etc., eu só sentia uma dor horrível. Eu urrava de dor, e ouvia gargalhadas e deboche.

Ainda ousei gritar:

– Malditos canalhas! Vocês me pagam um dia desses..

Mas o que aconteceu a seguir indicou-me que eu devia calar-me. Um bando de cães negros, a um sinal do tal guardião, saltou sobre o que devia ter sido meu corpo carnal e cravou nele suas presas medonhas. Eles transmitiam ódio e prazer ao me destruir.

Eu urrei mil vezes mais forte, de dor e desespero. Mas o pior ainda estava por vir.

De repente, um lugar-tenente do guardião entrou no recinto infernal arrastando minha filha Priscila em uma corrente e a jogou aos seus pés. Ela dava gritos de pavor. Logo, outro entrou com Vítor em outra corrente com duas pontas. Na outra ponta estava minha esposa. Vítor só gemia, pois tinha a garganta cortada, e minha esposa chorava como um bebezinho.

Todos os meus auxiliares que haviam sumido foram atirados no salão imenso. Todos estavam acorrentados e reduzidos a farrapos. As expressões de seus rostos, ou o que restava deles, diziam-me que eu ainda iria sofrer muito.

E sofri, pois vi todos serem chicoteados até seus algozes não mais aguentarem fazê-lo. A uma ordem do tal guardião, eles cessaram o castigo. Então todos foram amontoados a um canto. Minha esposa e minha filha ficaram nas correntes, assim como Vítor. Eu procurei esquecer-me um pouco da dor que me torturava e perguntei ao tal guardião:

– Por que faz isso conosco?

– Não foi você quem falou que me queria como escravo para todo o sempre?

— Você é o guardião daquele canalha?
— Sim, eu mesmo.
— Mas...
— Estúpido. Pensa que é alguém nas Trevas? Não vê que você não passava de um mísero escravo executor? Quem pensa que é para tomar o destino alheio em suas mãos? É algum juiz divino, verme imundo?
— Eu só estava tentando castigar um canalha.
— Quem lhe disse que ele era um canalha?
— Minha filha disse que... — ele não me deixou continuar.
— Então a castiguem mais um pouco. Ela tem de aprender a verificar antes de falar alguma coisa contra um semelhante.

E Priscila foi lançada aos cães negros, que a rasgaram toda. Ela gritava de dor e pavor. Como aqueles cães cumpriam as ordens, eu não sei dizer, mas, mal a tiraram da corrente, eles se lançaram sobre ela. Eu gritava para que cessassem com o castigo, mas era em vão. Eu chorava impotente, quando o tal guardião perguntou-me:

— Por que chora, executor?
— Vocês a estão destruindo como ser humano.
— Quem é ser humano?
— Ela é.
— Tem certeza?
— Claro que sim, é minha filha!
— Então irá castigá-la agora com um chicote. Somente assim eu mandarei os cães se afastarem.
— Por que devo fazer isso?
— Não foi por causa dela que você abandonou o abrigo da Luz? Não foi por causa dela que você tirou a vida desse idiota aí ao seu lado? Não foi por causa dela que você eliminou centenas de viventes na carne? Não foi por causa dela que você serviu de instrumento a uma maldita vingança que se arrasta por vários milênios?
— Eu só fiz isso para protegê-la.

– Estúpido! Você recusou a Luz quando alguém a ofereceu gratuitamente. Agora viverá o tormento das Trevas com toda a sua intensidade e crueldade.

– Eu conheço a força das Trevas.

– Eu sei, mas apenas quando você a aplicava aos outros. De agora em diante, vai senti-la, e não tenho a menor compaixão por canalhas idiotas.

Então ele gritou:

– Tragam a maldita do lixo das Trevas!

E a chefe de Priscila veio arrastada por um ser infernal, que eu desconhecia. Ela estava toda rasgada. Só de ver as garras daquele ser, imaginei que teria sido ele o causador de tanto estrago em seu corpo.

Então eu vi que não éramos nada comparados ao tal guardião. A chefe foi castigada com tantas chicotadas que nem gemer podia mais. Nesse momento, a tal cascavel apareceu gargalhando, e falou para o guardião.

– Lá está tudo lindo, chefe.

– Ótimo, Sete Guizos. Procure não falhar mais, senão eu o arranco de perto dele.

– Não vou falhar outra vez, chefe. Mas preciso de ajuda, porque a coisa está feia.

– Irá receber ajuda em breve.

– Chefe, tenho contas a ajustar com essa vagabunda aí. Posso?

– À vontade, Sete Guizos.

E o rastejante foi até a outrora chefe imponente e vaidosa, e falou-lhe:

– Estou esperando por isso há muito tempo, feiticeira podre.

– Afaste-se de mim, réptil asqueroso! – gritou ela.

– Por que eu deveria?

– Odeio cobras.

– Mas não foi você mesma quem me irradiou durante minha última encarnação apenas para me destruir?

— Quem é você, asqueroso?
— Eu, asqueroso?
Então ele assumiu a forma humana, e ela exclamou:
— Você?
— Eu mesmo, lixo do inferno. Demorou, mas eu consegui encontrá-la. Agora é hora do acerto de contas.
— Afaste-se de mim, seu desgraçado. Você foi um dos que me mataram em minha última encarnação.
— E aqueles que você havia matado com suas malditas bruxarias? Não contam? Só lhe interessa vingar-se dos que impediram que continuasse com sua vida criminosa na Terra? Acaso não lhe ocorreu ainda que eles apenas evitaram que você continuasse a cometer mais injustiças?

E o homem à frente dela falou tanto que ela começou a pedir que parasse de lançar-lhe na cara que havia sido uma pessoa perversa quando encarnada. Eu ouvia a tudo calado, pois agora percebia o sentido do aviso que o réptil havia me dado.

Ele havia dito que eu ficaria estarrecido se soubesse quem era a chefe de Priscila, e a sua protegida. Algo me dizia que eu fazia parte de todo aquele grupo do espíritos derrubados pelo ódio.

Não demorou muito para que eu começasse a ser atormentado com acusações reveladoras. Quando ele deixou a chefe de Priscila em paz, virou-se para mim, e uma de suas cascavéis saltou sobre mim, cravando-me suas presas. Eu gritei de dor e medo. Picou-me várias vezes seguidas, e pude ver em seus olhos oblíquos um ódio milenar.

— Quem é você, réptil asqueroso?
Ele assumiu sua antiga forma humana, mas eu não o reconheci e perguntei:
— Quem é você? Vamos, diga-me por que me odeia, verme!
— Não se lembra mais, não é mesmo?
— Eu não o conheço, cão danado. Por que me ataca com tanto ódio?

– Agora você não se lembra, não? Eu vou fazê-lo rememorar quem sou eu, assassino.

Ele pediu auxílio ao tal guardião.

– Chefe, pode refrescar a memória desse miserável?

– Com prazer, Sete Presas. É a hora da transformação dessa canalhada toda.

Ele tocou em minha cabeça, e fui despertado para o passado em instantes.

Vi o homem à minha frente transformar-se em um negro de 300 anos atrás, mais ou menos. Vi minha querida filha Priscila como uma escrava negra muito bonita, e vi Vítor como meu próprio filho, que gostava, ou melhor, amava a negra. Vi minha mulher da última encarnação como uma amante mestiça, e a minha pequenina Eliana como minha esposa na encarnação anterior.

Também vi como torturei o negro, que já fora pai de Priscila. Eu o usava como jagunço caçador de fugitivos, e por ordens minhas ele matou muitos que não se resignavam com a escravidão. Vi como veio pedir-me para deixar meu filho casar-se com sua linda filha. Eu não só impedi o casamento, como o matei e passei a afastar Vítor da escrava. Tanto fiz, que ele acabou suicidando-se.

Então eu fiquei com a bela negra para mim, eu que já tinha uma mestiça como amante. Vi como a antiga amante a apunhalou por ciúmes, e eu a castiguei tanto que ela também veio a morrer. Vi como minha pequena Eliana, outrora minha esposa, ficou doente e eu lhe neguei socorro.

Voltei um pouco mais no tempo, e vi quem havia sido meu pai naquela encarnação, meu amigo.

– Quem era seu pai, amigo Mário?

– Você havia sido meu pai, meu amigo.

Eu estava tentando destruir aquele que um dia havia me acolhido como filho, e que me deixara com uma imensa fortuna. Eu não ouvi seus conselhos e, em consequência, perdi-me em um momento de fraqueza da carne.

Vi também que havia sido meu protetor até o ano de 1948. Dali por diante, eu o perdi como protetor, e não o vi mais. Hoje, analisando tudo com calma, vejo que foi naquele ano que minha vida sofreu uma forte transformação para pior. Eu perdi a posse da agência importadora para meu sócio, e passei a ser seu empregado.

Sim, foi depois que perdi meu protetor que minha vida sofreu uma transformação, e era você quem me guiava por um bom caminho, pois eu, até 1948, era mantenedor do um orfanato em Santos e provedor de auxílio aos velhos portuários que eram descartados após não mais poderem lombar as sacarias para os navios. Como em um passe do mágica, eu fiquei arruinado e vendi minha sociedade na agência importadora e exportadora para saldar dívidas e mais dívidas.

– E sabe quem estava atuando nesse sentido contra mim?
– Não, meu amigo.
– A chefe de Priscila. A mesma a quem eu ajudara no propósito vingativo contra você.
– Interessante.
– E quer saber mais?
– Diga.
– Ela, no tempo em que era uma feiticeira e que você a degolou, havia sido minha esposa. E veja que isso foi há milhares de anos. Somente ela foi degolada, pois eu dei ouvidos ao chamado à razão que você havia enviado a nós dois. Ela me odiou por todos esses milênios. Enquanto você me auxiliava, de encarnação em encarnação, a resgatar meus erros, ela procurava lançar-me nas Trevas. Assim foi por milênios afora.

Mas uma coisa é certa: ela me queria ao seu lado e, como não podia ir para a Luz, tentava me puxar para as Trevas.

Era por isso que ela sempre me convidava para nos divertirmos com os frequentadores de lugares onde só vibravam desejo e prazer. Eu sentia como ela se alterava quando eu acompanhava

Priscila até o seu domínio no lado escuro. Também recebia dela toda a atenção que só uma amante carinhosa sabe dispensar a um visitante.

Ela protegia Priscila para ter-me ao seu alcance, e usava a nós dois para destruí-lo em sua sede de vingança multimilenar.

Só então eu compreendi tudo. Eu devia ter ouvido as palavras do irmão Fernando, o superior do abrigo que me acolheu e à minha pequena Eliana. Sabe de mais uma coisa?

– O que é?

– O superior Fernando havia sido meu irmão naquela encarnação, e foi com o seu auxílio que ele iniciou aquele abrigo no começo deste século. Ele não poderia me dizer isso, pois eu teria de lutar contra meu instinto e amoldar-me às regras da Luz, ou seja, confiar em Deus e na Sua justiça. Tudo o que nos parece injusto tem uma razão de ser, e foi motivado por uma ação anterior que apenas está provocando um efeito tardio de reação.

– Compreendo. O que houve depois que você conheceu parcialmente seu passado ancestral?

– Bem, o tal negro cuspiu em mim e voltou à sua forma plasmada de cascavel. Nunca mais o vi, mas espero encontrá-lo para obter o seu perdão.

Quanto ao tal de Sete Guizos, cuspiu na chefe de Priscila e falou-lhe:

– É bom que saiba de uma coisa, feiticeira. De hoje em diante, não sou eu quem deve sentir medo. Você conseguiu lançar-me nas Trevas, e será muito difícil eu sair daqui um dia. Portanto, serei eu quem irá tentar derrubá-la daqui por diante. Vou ser o seu tormento dia e noite, tal como você foi o meu. A sua primeira derrota você já está sentindo: não é chefe de coisa alguma, e fui eu quem armou a arapuca em que você caiu como uma tola. E olhe que isso foi só o começo!

Ele virou-se para o tal guardião e pediu-lhe:

– Chefe, posso ficar com ela para mim?

— Negativo, Sete Guizos. Ela é minha a partir de agora, e vou transformá-la.

— Mas, chefe...

— Sem discussões, Sete Guizos. Se eu me cansar dela, então a darei a você.

— Ótimo, chefe. Vou ficar esperando. Sei que não vai suportar olhar para essa imunda por muito tempo. Então, e só então, minha vingança terá início!

A mulher gritou de pavor quando ele gargalhou e voltou à forma de cascavel, cravando-lhe as imensas presas em um dos dilacerados seios. Quando se afastou, disse-lhe:

— Sinta como é delicioso o beijo de ódio de uma serpente, feiticeira. Quando você for minha, irá inundar-se do prazer que tenciono proporcionar-lhe. E isso se restar algo do seu tão horrível corpo, pois seu castigo ainda não começou, e o que provou até agora foram só carinhos do Sete Garras. Imagine quando ele deixar de ser carinhoso e ficar enfurecido.

— Não! — gritou ela — Não me faça mais mal. Já sofri muito nas garras desse ser infernal.

Então, o tal guardião gritou irado:

— E quanto aos infelizes que queriam apenas se elevar um pouco diante da Lei, maldita? O que me diz disso? Por que agora só pensa em sua própria existência, maldita? Por acaso se achava no direito de derrubar a quem não lhe agradasse? Pois agora chegou a sua vez de provar do seu próprio feitiço, e olhe que ainda não comecei com você.

— Não faça mais mal a mim, e eu o servirei para todo o sempre.

— Isso você fará enquanto a Lei assim ordenar, pois foi ela quem me ordenou que a transformasse. Agora você sentirá em seu corpo todo o mal que causou aos encarnados e àqueles que você iludiu nas Trevas.

— Quem é você para julgar-me e executar-me? — exclamou ela.

— Eu não a julguei, feiticeira. Alguém no lado luminoso ordenou-me que a transformasse, e é o que eu vou fazer. Quanto a mim, não tomo iniciativa própria, porque não me compete julgar ninguém. Mas aqueles que a Lei joga em meus domínios, eu os transformo em pouco tempo.

— Mentira! Você é só mais um dos meus inimigos ancestrais.

— Isso é verdade, mas ainda que eu pudesse tê-la destruído há muitos milênios, não ousei fazê-lo porque sabia que um dia ajustaríamos nossas contas pendentes.

— Isso não é justo – gemeu ela.

— Como não? Eu jamais a persegui, ainda que tivesse bons motivos para fazê-lo. Eu fui justo e paciente, pois conheço a lei que rege o erro e a justiça no seu reparo, e um dos seus artigos diz o seguinte: "Quem fez o mal irá repará-lo, até que em bem o transforme". Pois agora você irá transformar o mal que me causou em meu próprio bem. Irá me servir até que a Lei venha tirá-la dos meus domínios, e veja que, se a Lei demorou 7 mil anos para outorgá-la a mim, no mínimo outro tanto irá demorar para olhá-la novamente. Ha! Ha! Ha!

...E ele gargalhou de prazer. Eu estremeci com sua risada, e a feiticeira gemeu diante do castigo imposto pela Lei. A um sinal, o tal Sete Garras cravou suas garras descomunais nela e a arrastou por uma porta escura.

Capítulo 6

A Hora da Verdade

Ainda ouvi seus urros de dor por algum tempo, mas repentinamente eles cessaram, e então voltei a me preocupar comigo, com minha esposa e minha filha, que estavam aprisionadas ali.

Assustei-me quando ele voltou seus olhos para mim e falou:

– Agora é sua vez, ex-executor. Já perdi muito tempo com você, mas isso me dá prazer. Foi com espanto que ouvi você dizer que iria me fazer seu escravo para todo o sempre.

– Eu não disse isso – eu tentava me safar de sua ira.

– Como não, se eu posso ouvir qualquer um que esteja nas Trevas?

– Mas não fui eu quem disse isso.

– Pois eu ouvi isso de você várias vezes, e agora é hora de mostrar-me que não é e nunca foi nada mais que um maldito canalha, que abusa do poder depositado em suas mãos.

Nesse momento, chegou o meu chefe executor. Eu implorei por seu auxílio:

– Chefe, ajude-me! Estão querendo acabar comigo.

Nada posso fazer por você, Mário.

– Mas eu o tenho servido há tanto tempo. Não pode me abandonar agora.

– Fui eu quem o mandou executar o protegido do guardião?

— Não.
— Então não posso fazer nada por você agora. Você está colhendo o fruto amargo da sua semeadura.
— Eu estava enganado, chefe. Fui iludido pela chefe de minha filha.
— Azar seu, Mário. Eu sempre lhe disse que fizesse apenas o que eu ordenava, mas você sempre se excedia e tomava a Lei em suas mãos. Você não se contentava em levar alguém para as Trevas depois de eliminá-lo da face da Terra. Não! Você queria ser juiz, carrasco e torturador ao mesmo tempo. Eu só deixei você dar vazão ao seu ódio insensato porque recebi ordens do meu correspondente na Luz quando você começou a odiar esse idiota aí. Mas como seu ódio não se esgotava, recebi ordens de não mais lhe confiar execuções. Saiba que há uma lei invisível e imutável que nos vigia segundo a segundo, Mário. E você foi colhido por ela duas vezes. Na primeira, caiu nos meus domínios, e na segunda, nos domínios do guardião do canalha que você, sua filha e a chefe dela tanto prejudicaram. Ou você pensa que eu não os vigiava? O mesmo que esse guardião da Lei nas Trevas pode, eu posso, pois também sou um dos sete guardiões da Lei.
— Como?
— Você é um tolo idiota que está pagando o preço do desafio à Lei.
— Mas...
— Por que não fez esse guardião ao meu lado de escravo seu?
— Eu não sabia de nada.
— Então por que não procurou ouvir as palavras do Sete Guizos?
— Eu não imaginava nada disso.
— Você sabe quem o mandou preveni-lo de que estava errado?
— Não.
— Fui eu, Mário.
— Como?

— Conte-lhe, Sete Guizos.
— Certo, chefe. Eu tentei avisá-lo que devia procurar saber quem era a chefe da filha dele e a protegida de sua filha, mas fui ameaçado por causa disso.
— Então, por que não lhe cravou suas presas?
— Em respeito àquele a quem eu protejo na carne. Acho que isso me impediu de acabar com ele naquele momento, chefe.
— Que isso não se repita mais, Sete Guizos, ou retiro minha proteção a você.
— Certo, chefe. Esse idiota só me causou problemas e reprimendas. O guardião na Luz também chamou minha atenção. Mais uma, cravo minhas presas nele, e não o solto mais.
— Pois vá fazendo isso, idiota. Ainda tem alguém mais querendo falar com você.
— Quem, chefe?
— Ela.

O tal Sete Guizos arrepiou-se todo ao ver uma guardiã da Lei nas Trevas olhando irada para ele. Acho que ele a temia mais que aos dois ali reunidos, e tentou justificar-se:

— Sinto muito, minha chefe, mas estou tendo de lutar muito para defendê-lo.
— Você é um idiota. Já não o avisei para ir me avisar quando isso acontecer?
— Está certo, eu pensei que poderia acabar com todos eles de uma só vez.
— Idiota presunçoso. Se falhar mais uma vez, eu o lanço em um abismo sem saída.
— Está certo, minha chefe. Mas veja se me manda auxílio, pois parece que todo o inferno está à procura dele.
— Eu mesma vou vigiá-lo dia e noite de agora em diante, senão um dia desses alguém o arranca do corpo carnal e nunca mais o veremos. Agora, suma-se e vá guardá-lo.
— Sim, senhora! Com licença.

O tal Sete Guizos sumiu no espaço, e todas as cascavéis ali presentes também. Então, eu falei ao meu ex-chefe:

– Chefe, ajude-me! Irão me destruir nesse lugar.

– Já lhe disse que nada posso fazer, Mário. Eu também sou um protetor do seu "canalha" na carne.

– Como é que é?

– Isso que você ouviu. Recebi ordens do meu correspondente na Luz para não permitir que ninguém das Trevas o tire da carne antes do dia fixado pela Lei.

– Eu já não estou entendendo mais nada – gemi aflito. – Por que o senhor não me avisou do erro que eu cometia?

– Como, se você destilava ódio por todos os seus poros?

– Eu não sabia que ele também era seu protegido.

– Azar o seu, pois deveria ter aprendido a raciocinar e perceber que, se você podia tirar a vida dos canalhas, é porque alguém permitia isso. Mas não. Você nunca procurou saber qualquer coisa a esse respeito, e satisfazia-se simplesmente em executá-los. Você não serve para ser um executor porque ousou desejar fazer, de escravo seu, o protetor à esquerda de um encarnado, e violou uma regra inviolável: "Um protetor não pode ter sua missão impedida por quem quer que seja. Se o encarnado ascender, ele ascende junto; se cair, ele cai também". E isso se aplica tanto ao da direita quanto ao da esquerda.

– Por que só agora me falam isso?

– Você nunca perguntou antes, e agora já está sob os efeitos da transformação que se processará em seu mental.

– Como será essa transformação?

– Como se trabalha o ouro arrancado do meio da terra?

– Fundindo-o no calor do fogo – gemi eu.

– E como se transforma uma pedra bruta em preciosa?

– Lapidando-a no esmeril – tornei a falar, quase sem voz.

– Como se torna um ouro mole em ouro sólido e forte?

– Com a mistura das ligas.

– Quem são essas ligas?

– Minha esposa, minha filha, Vítor, o tal Sete Presas, a feiticeira, minha filha na Luz e o encarnado que eu quis matar.

– Ótimo raciocínio, Mário. Vamos ver se você não é uma pedra impura, que se parte quando o artesão tenta arrancar-lhe as impurezas que a tornam sem valor.

– Deus do céu, eu estou perdido!

– Isso aconteceu quando você abandonou o abrigo, Mário. Admira-me muito você só perceber isso agora, quando seu tormento ainda nem começou.

– Mas eu já estou quase louco, chefe.

– Problema seu. Deveria ter percebido que não tinha o direito de tirar a vida de ninguém na carne.

– Mas como, se foi o senhor quem me ensinou como fazer tal coisa?

– Não era você quem desejava tanto tirar a vida do canalha do Vítor?

– Sim, mas eu não sabia o que fazia.

– Primeira lição a aprender, Mário: "Se não souber o que fazer, então nada faça, pois muito estará fazendo."

– Qual a segunda lição, chefe?

– "Não faça a seu semelhante aquilo que não gostaria que ele fizesse a você."

– Isso está escrito no Livro Sagrado.

– Sim, esse é um dos artigos da Lei Maior, dado a conhecer aos homens para evitar que assumissem muitas dívidas na carne. E, como Lei Maior, tanto é válida no alto como no meio ou embaixo.

– Estou perdido!

– Está sofrendo sua transformação, e nada mais.

– Em que serei transformado?

– No que você quiser. Em ouro forte e brilhante ou em metal sem valor algum; em pedra preciosa ou em um pedaço imprestável de cascalho. Tudo depende de você de agora em diante.

— Como irei me conduzir em um meio hostil?
— Só há uma forma, Mário.
— Qual é ela?
— Em seu próprio benefício, prefiro deixá-lo descobrir qual é. Agora devo ir, porque tenho coisas mais importantes com o que me preocupar.
— Por que veio ver meu suplício, chefe?
— Em respeito àquele que você e sua filha atingiram enquanto ele está envolto pelas amarras da carne e cego em sua Terceira Visão.
— Mas eu já não o odeio mais, e até sinto remorsos por tê-lo prejudicado tanto.
— Problema seu, pois só facilitou o trabalho para muitos outros que o odeiam e querem destruí-lo, como queria aquela feiticeira do lixo do inferno.
— Meu Deus! Prejudiquei a quem tanto fez por mim enquanto pôde.
— É o preço, e terá de pagá-lo, Mário. Você, sua filha e muitos outros que estão sendo movidos pelo ódio que cega a razão. A queda dele implicará sua maldição de hoje em diante. O remorso o consumirá dia e noite.
— Mas eu não sabia.
— Mais uma lição: "Quando nada souber, pergunte a quem possa esclarecê-lo. Se você nada sabe, nada faça. Certamente poderá fazer tudo errado, caso tente fazer algo".
— A quem eu posso pedir perdão, chefe?
— Eu só executo o que a Lei me ordena; portanto, não sou juiz para perdoar ninguém. Eu sou apenas um executor.
— Então, a quem devo dirigir-me para alcançar o perdão para os meus erros?
— Eu sei a quem você deve se dirigir. Mas, para seu próprio bem, prefiro que descubra por si mesmo, ou então que se perca nas trevas da ignorância para todo o sempre.

— Estou perdido, então?

— Isso aconteceu no dia em que você abandonou o abrigo da Luz e desejou tomar em suas mãos o que somente à Lei Maior competia. Mais uma lição, Mário: "Quem em suas mãos toma o que à Lei pertence, à Lei certamente irá responder com as mãos postas à palmatória". Bem, Mário, vou embora e espero não vê-lo nunca mais. Mas, caso sua transformação seja para pior, certamente um dia desses nos encontraremos, e isso não será bom para você. Eu somente vou ao encontro daquele que a Lei ordena que eu vá executar. Espero não precisar executá-lo uma segunda vez.

— Foi o senhor quem me executou quando eu vivia na carne?

— Sim.

— Por que, se eu era um bom homem?

— A Lei queria provar sua resistência diante do tormento que se abateria sobre sua família que ficara na carne.

— Por que uma prova tão difícil?

— Na outra encarnação você não atormentou as suas ligações ancestrais?

— Sim.

— Então, a Lei queria ver se você suportaria o tormento dessas ligações. Mas não se culpe por isso, porque a maioria falha. Poucos são sábios o bastante para suportar a dor causada por uma ofensa àqueles que lhe são queridos, e ainda perdoar seus opressores sabendo que apenas estão sofrendo a reação provocada por uma ação anterior. Até a vista, Mário!

Meu antigo chefe saudou o outro guardião e a guardiã, e desapareceu. Ela, a guardiã, ainda olhou para mim, minha filha, minha esposa e Vítor, depois saudou o tal guardião do lugar e também desapareceu.

Então ele me falou:

— Quero vê-lo chicotear sua esposa, sua filha e seu escravo.

— Mas eu não quero fazer isso. Poupe-me desse tormento, por favor.

– Está certo, vou atendê-lo. Os cães farão seu trabalho, então.

Mal ele disse isso, e os cães negros saltaram sobre eles. Os urros de dor tomaram conta do lugar. Eu tentei salvá-los das presas afiadas, embora isso me fosse impossível, mas quem me segurava puxou a corrente e lançou-me contra o solo. Eu gritei para que parassem com aquilo, e ele me ouviu, pois os cães se afastaram.

– Como queira, canalha. Pegue um chicote e dê 50 chicotadas em cada um!

– Poderia me dizer qual o sentido disso?

– Como não? Vítor traiu sua confiança, não?

– Sim.

– Sua esposa traiu um juramento, não?

– Sim. Mas como justificar minha filha?

– Foi por ela que você se voltou contra meu protegido, prometendo fazer, tanto a ele quanto a mim, escravos seus, não?

– Sim.

– Então, comece com o castigo, senão os cães voltarão ao ataque.

– Mas agora eu sei que tudo tinha uma razão de ser. Eu não mais odeio minha esposa, e muito menos Vítor.

– Isso é problema seu. O que você fez no ódio, terá de fazer agora que já não os odeia.

– Mas isso é injusto!

– O que é justo nas Trevas? Vamos, comece o castigo!

– Posso propor uma troca?

– Não.

– Eu recebo as chicotadas a eles designadas.

– Mais uma lição: "Só use princípios da Luz, na Luz, porque nas Trevas eles são incompreensíveis, assim como são incompreensíveis à Luz os princípios das Trevas".

– Eu não compreendi o sentido.

– O que lhe disseram os protetores de sua filha quando você quis tomar o destino dela em suas mãos?

— Disseram para eu me acalmar e confiar na justiça divina.
— E o que lhe disse o guardião executor logo a seguir?
— Que me ensinaria como eliminar Vítor.
— A qual dos dois princípios você deu ouvidos?
— Ao do guardião executor.
— Compreende agora quando eu digo que há dois princípios? Na Luz, você suportaria a dor que ela iria sofrer, enquanto nas Trevas você repassaria essa dor a um terceiro, não deixando que ela se esgotasse toda em você mesmo, não tendo confiança na justa justiça de Lei Maior.
— Mas eu vou sofrer muito, se chicoteá-los.
— Prefere que eu transfira a tarefa de torturá-los aos meus cães?

Imediatamente os cães rosnaram e começaram a se mover, ameaçadores. Todos gritaram de medo e pediram-me para que eu os chicoteasse. Então ele tornou a falar:
— Está vendo? Até eles já estão conscientes de que você não deve passar sua dor para a frente, senão irão sofrer muito mais.
— O que quer dizer com isso?
— Que, se você não interviesse no trabalho dos dois protetores designados para sua filha, ela não teria se transformado em uma meretriz, não teria procurado o aborto do filho que ia ser gerado em seu útero e Vítor iria parar de se embebedar, casando-se com ela antes que o escândalo viesse a público. Essa foi a forma que a Lei encontrou para castigar você, que um dia os atormentara em uma outra encarnação. Quanto à sua esposa, ela só permitiria que sua filha se casasse devido ao escândalo que a gravidez causaria, uma vez que na encarnação anterior ela havia tirado sua vida. Dessa vez, tinha o amor da mãe geradora a impedi-la de matar a própria filha. E quanto a Vítor, você não lhe tomou a amada em outra encarnação? Nada mais justo que ele tomar-lhe a esposa, e nas mesmas condições de simples amante que se aproveitou da mesma confiança que ele depositava em você. Na outra encarnação, foi você quem o mandou para longe e ficou com sua amada. Se o ofendeu por possuí-la, desta

vez foi você o ofendido, com ele possuindo à força a sua tão querida filha, que outrora fora sua bela amante, também à força.

– Mas...

– É a Lei. Cumpra-a, ou a transfira aos meus cães.

– Mas vou sofrer muito de qualquer forma.

– É problema seu. Se um dia você preferiu tomar a Lei em suas mãos e transformar a dor em ódio, agora terá de sentir dor ao castigar àqueles que o fizeram odiar. Neste momento eu sou o agente castigador, e você escolhe se toma a Lei em suas mãos ou a deixa nas minhas.

– Mas você é muito mais cruel que eu. Irá destruí-los!

– Não, eu vou apenas transformá-los, e nada mais.

– Mas vai fazê-los sofrer muito mais do que eu.

– Isso é o que a Lei teria feito, se você não tivesse intervindo no seu livre e perfeito curso.

– Pois eu não vou interferir desta vez. Se tal tarefa a você pertence, então cumpra-a, pois senão eu apenas a estarei protelando mais uma vez.

– Muito sábia a sua decisão. Cães, avancem!

Apesar dos gritos de minha esposa, de Priscila e Vítor, os cães avançaram e os morderam muitas vezes. Eu chorava impotente, porque outra coisa não podia fazer.

Em dado momento, eles pararam e foram deitar-se em um canto. Eu, chorando de pena por tanto sofrimento, rastejei até eles e procurei consolá-los. Mas foi em vão, pois não me ouviam nem me notavam, devido ao castigo recebido.

Depois de um longo tempo, voltaram à consciência. Acusaram-me de tê-los deixado à sanha dos cães. Eu argumentei que não poderia mais castigá-los com minhas intervenções desastrosas.

– Você é quem deveria ser mordido, Mário! – exclamou minha esposa.

Imediatamente os cães saltaram sobre mim e me rasgaram todo, ou o que restava do meu corpo espiritual, depois de ter sido queimado no ponto cabalístico. Eu fui levado à loucura pela

dor, e até perdi os sentidos. Minha esposa ficou penalizada com meu estado e gritou ao guardião:
– Não foi isso o que eu pedi!
– Como não?
– Eu só quis dizer que ele era o culpado por nos ter metido nessa enrascada infernal.
– Como pode acusá-lo, se foi você quem se insinuou ao Vítor quando ele vinha dormir em sua casa? Ou vai negar que fingiu entrar seminua por engano no quarto a ele reservado, provocando-o e ousando um pouco mais, além dos olhares insinuantes que enviava a ele quando seu marido não estava por perto?
– Eu fui a culpada por ele ter se envolvido comigo.
– Então não é o Mário o culpado, e sim você, não?
– Sim, eu fui a única culpada, mas isso porque Mário não me satisfazia como homem.
– Então, ele é a causa de todo o mal, não?
– De certa forma, sim.
– Então ele merece sofrer, não?
– Sim.
– Pois ele vai receber o justo castigo quando retornar à consciência.
– Mas por quê, se eu o traí, e não o contrário?
– Devido à sua traição ele odiou, e em consequência causou muita dor aos seus semelhantes.

Nesse momento, eu recobrei os sentidos e comecei a ser chicoteado por um carrasco. Como doíam as chicotadas! Elas cortavam fundo o que restava do meu corpo espiritual.
– Parem! Se ele errou, foi por minha culpa – gritou Priscila.
– Ele só tomou a Lei em suas mãos quando viu Vítor fazer-me sua amante e ameaçar me de morte. Eu sou a culpada!

Imediatamente o tal Sete Garras cravou-lhe suas garras medonhas, ferindo-a toda. Como era cruel e bestial aquela criatura! Priscila gritava de dor, até cair sem sentidos. Então Vítor finalmente falou:

— Eu sou o culpado por toda essa desgraça. Fui eu quem, a pretexto de consolar a família, fiquei naquela casa e tomei o lugar de Mário. Não soube me comportar como um verdadeiro chefe de família, porque quem eu realmente amava e desejava era Priscila, e não sua mãe. Foi por isso que comecei a beber e, em um momento de total embriaguez, matei a pequena Eliana.

— Então finalmente reconhece a sua culpa, não?

— Sim, eu fui pivô de todo o mal. Eu sou o grande culpado.

O chicote estalou sobre ele tantas vezes quanto resistiu. Quando não mais sentia os golpes da chibata, o Sete Garras trespassou-o várias vezes. Vítor urrava de dor, e acabou por desmaiar. Então eu falei:

— Qual o sentido desse tormento, guardião transformador?

— Eu quero saber realmente quem é o culpado, mas vou ter de continuar outra hora. Por enquanto ainda não sei de quem realmente é a culpa. Até lá vocês acertarão suas contas com aqueles que prejudicaram. Eles estão ansiosos por, finalmente, poderem se vingar.

— Onde estão eles?

— Vocês serão conduzidos às masmorras onde eu os mantenho presos.

— Isso é o inferno! Nunca cessa o nosso tormento?

— O que há na Luz?

— Paz! — gritei.

— E nas Trevas?

— O desespero.

— Qual lado vocês escolheram?

— O escuro.

— Então receberão o que há no escuro.

— Mas isso é injusto! — exclamei.

— O que é justo no lugar para onde somente os injustos são enviados?

— Por que não acaba conosco de uma vez?
— Fala por si só, ou pelos outros também?
— Por quê?
— Se fala por si, acabarei apenas com você, mas, se fala por todos, você estará decidindo o que é melhor para eles. Estará tomando em suas mãos, mais uma vez, os seus destinos, e será responsável pelo que lhes acontecer.
— Isso significa que tudo o que dissermos será usado contra nós?
— Exatamente!
— Meu Deus, estamos perdidos!
— Isso aconteceu há muito tempo, idiota. Quando se afastaram dos princípios da Luz, caíram nas malhas dos princípios das Trevas, e agora apenas os estão vivendo com todo sua intensidade e força.
— Eu me calo, guardião transformador.
— Abdica, então, do domínio sobre o destino deles?
— Totalmente! Que cada um receba o que a Lei lhe tem reservado. Ela não dará nada mais que o castigo merecido.
— Sábia escolha, Mário. Cada um irá receber o quinhão a ele reservado pela Lei, quando ela atua nas Trevas. Levem-nos daqui! – gritou ele.

Na sala não ficou ninguém. E, dali para a frente, eu me calei e suportei em silêncio todas as vinganças daqueles que haviam sido prejudicados por minhas ações. Devo dizer que os juízes que atuam ocultos por certas aparências são muitos.

Eu sofria, mas os meus algozes também sofriam. Nossos carrascos eram implacáveis com quem devia e com quem tinha algo a receber. Em verdade, éramos todos devedores, pois estávamos em um lugar no qual quem possuía algum crédito passava longe.

Capítulo 7

Nos Domínios da Loucura

Acabei reencontrando Vítor, e abraçamo-nos e choramos muito. Eu lhe pedi mil vezes perdão. Não o perdão que se pede da boca para fora, mas aquele vindo do fundo da alma. Era um perdão misturado a remorso e tristeza por ter magoado, ofendido e prejudicado alguém que, bem ou mal, estava ligado a mim há muitos milênios.

Da parte dele, o mesmo aconteceu, e na dor voltamos a nos amar. Algum tempo depois reencontramos minha, ou melhor, nossa esposa, e também já não havia mais o ódio. E depois Priscila. No meio do sofrimento, nós formamos um grupo sólido nos laços do amor e do respeito.

Afinal, se todos éramos culpados de alguma coisa, também éramos viajantes no mesmo caminho.

Nossos corpos espirituais não comportavam os vícios das Trevas que outrora nos lançaram na parte escura do mundo maior. Não. Agora só trazíamos em nossos seres imortais a dor imensa, provocada pelos castigos, o remorso, a vergonha, e uma grande tristeza por nos descobrirmos seres frágeis, falíveis e muito, mas muito, ignorantes.

Da dor veio o arrependimento, e deste, um remorso imensurável. Mal podíamos nos mover, pois nossos corpos espirituais estavam reduzidos a nada. E como sofríamos em decorrência disso!

Foi por isso que falei que aqueles que dizem que espíritos não sentem dor, mas imaginam estar sentindo-a, não sabem o que dizem. Não é apenas um reflexo condicionado no nosso mental.

Não, isso é uma grande inverdade. Eu sentia doer-me até as unhas que outrora eu possuía no corpo carnal, e depois no espiritual. Tudo doía, e não havia remédio algum que pudesse ser aplicado em nossos ferimentos medonhos. A podridão tomava conta de nossos corpos.

Um certo dia, eu ouvi um gemido agudo e pareceu-me ser conhecida a voz de quem o emitiu. Arrastei-me até o lugar de onde partia e encontrei a antiga chefe de Priscila.

Quando ela me viu, assustou-se e clamou:

— Não me maltrate, Mário! Eu já não suporto mais tanto sofrimento.

— Só agora você descobre que a dor é dolorida, não? Quando a causava aos seus semelhantes, ou induzia-os a causá-la nos outros, tal coisa lhe dava prazer, não?

— Pare, Mário! Eu já não aguento tantas acusações. Estou ficando louca.

— Todos estamos enlouquecendo, Laís. Isso é muito pior que o inferno. Aqui é o nosso purgatório, e estamos sendo transformados, de seres que odiavam e distribuíam a dor, em seres que sofrem e absorvem-na a todo instante, mais e mais.

— Não vai me torturar?

— De que iria me servir tal coisa? Por acaso diminuiria a dor que sinto? Ou o remorso?

— Aliviaria o ódio que deve ter por mim.

— Eu não a odeio, Laís. Sinto tristeza por vê-la sofrendo, mas odiá-la, isso não.

— Pois deveria, Mário. Eu o tenho perseguido por todos esses milênios. Isso não o incomoda?

— Por que deveria? Não vivi ao seu lado um tempo, mesmo vendo que você usava mal os poderes mágicos que possuía?

Talvez minha omissão tenha sido a culpada de nossa desgraça. Quem sabe se naquela época eu tivesse influenciado o seu modo de ser, pensar e agir, hoje não estaríamos aqui?

– Talvez, mas e quanto aos males que causei a você e aos que se ligaram a você nesses séculos e séculos incontáveis?

– Talvez eu os merecesse, pois, se tentei subir à Luz, foi por causa da dedicação daquele ao qual tentamos destruir. Se não subi, foi porque a deixaria para trás. Quem sabe o elo que nos une seja tão forte que, se um cair, o outro não consegue subir?

– Quero que acredite quando digo que, se impedia sua ascensão às esferas de Luz, era porque não queria perdê-lo. Agora, em nossa hora final, eu reafirmo o que já lhe disse outras vezes, Mário. Eu o amo muito e, se fiz o que fiz, em parte foi por amá-lo.

– Foi por isso que nos jogou contra aquele que tem me auxiliado por tantos séculos?

– Em parte sim, mas por outro lado eu era movida pelo ódio a ele. Era um ódio tão forte que me fez perder totalmente o raciocínio.

– Ainda alimenta esse ódio?

– Não. Agora já não odeio mais ninguém. A dor e o remorso que sinto não deixam lugar para o ódio, o rancor ou a vingança. Acho que errei por tantos milênios que, ao final, acabei perdendo, Mário. Hoje já não sou ninguém no reino das Trevas. Desejo apenas um momento de paz, para poder descansar um pouco sem sentir dor alguma. Como pude alimentar esse ódio por tantos milênios? Não foram dias, anos ou décadas, mas milênios. Quanta desgraça eu causei por causa desse ódio! Sabia que ele, naquele tempo, depois que deixou o corpo carnal, veio até mim muitas vezes tentando fazer com que eu mudasse de lado por meio da transformação do ódio em perdão? Foram várias tentativas para me fazer ver que eu estava errada!

– Por que não o ouviu uma vez, ao menos?

— Eu o odiava tanto que a única coisa que me ocorria era encontrar uma brecha por onde pudesse atingi-lo. Um parente na carne, um descendente, um amigo, tudo era motivo de prazer para mim. Cada um que eu prejudicava era motivo de júbilo, como se tal coisa o tivesse atingindo.

— Eu sinto pena dele, pois sofro muito por ver minha esposa, minha filha, Vítor, você e tantos outros infelizes sofrendo nesse purgatório em razão dos meus próprios erros.

— Agora eu compreendo o sentido da dor. Sinto vê-lo nesse estado, Mário. Se ainda lhe for possível, perdoe-me por tê-lo lançado nesse lugar tão terrível.

— Se não fosse você, seria outro; portanto, somos vítimas de nós mesmos. Somos os nossos algozes.

— Isso é certo. Nós não só castigamos aqueles que odiamos, mas também a nós mesmos. O guardião deste lugar tem razão quando diz que não há motivos para infringir a Lei e tentar atingir quem lhe deve algo, porque, quando o tempo certo chegar, a Lei lançará aos seus pés os seus devedores. Eu me julgava tão poderosa, e no entanto alguém entrou em meus domínios e acabou comigo em segundos. De dama poderosa passei a alma sofredora purgando seus erros, e nada ou ninguém o impediu de reduzir-me ao que realmente sou: uma mulher!

— Eu também me julgava poderoso, Laís. Achava que podia tirar a vida de quem eu quisesse. Nunca me ocorreu que eu pudesse ser apenas um instrumento de algo muito poderoso, inimaginável mesmo, para mim que vivia alimentando o ódio. Eu era usado por aquilo que de maneira mais forte vibrava em meu mental, e só pude algo enquanto a Lei assim o quis. Quando ela não mais me quis, lançou-me ao encontro do meu juízo final.

— Estranha coincidência, não? Caímos todos juntos no mesmo lugar. Qual será a razão?

— Quem realmente foram, para nós dois, as outras almas que nos acompanharam nessa queda?

— Foram nossos filhos naquela encarnação em que fui degolada. Eles ficaram ao seu lado quando o ultimato nos foi dado.
— Que ultimato?
— Diziam que devíamos renunciar ao nosso modo do cultivar o mundo sobrenatural e curvar-nos diante da Lei do Todo-Poderoso.
— O Todo-Poderoso! Sim, somente Deus poderá tirar-nos desse tormento. Quem mais é senhor da Lei Imutável? Nós achávamos que podíamos ser a Lei, não?
— Estávamos enganados, não?
— E como!
— A Lei provou-nos que somos nada, e só nos julgamos ser algo quando interessa a ela nos usar para provar a outros que nada são.
— A Lei tem uma hierarquia de servidores e, quando nos excedemos no nosso grau, ela nos lança no nada absoluto. Foi isso que nos aconteceu, Laís. Nós tomamos o caminho da Lei que conduz para baixo.
— Eu não quero cair mais, Mário.
— Vai ser difícil subir de agora em diante, Laís! Nós nada somos, e acima de nós há uma infinidade de semelhantes nossos que têm motivos de sobra para nos odiar e impedir que saiamos desse purgatório. Eu vi espíritos clamando por socorro porque não resistiam mais aos sofrimentos, e descobri que estão aqui há séculos. Penso que o mesmo acontecerá conosco.
— Não vou resistir ao sofrimento que me aguarda.
— Acalme-se. Você não sofrerá mais. Aqueles que são lançados aqui não são incomodados senão por seus próprios remorsos.
— Isso é válido para vocês, mas não para mim.
— Por que diz isso?
— Lembra-se das palavras da tal cascavel Sete Guizos?
— Sim.
— Pois o guardião desse local já se cansou de me fazer sofrer mostrando todos os meus erros e afrontas à Lei, e mandou que me lançassem nesse abismo.

— Então você está livre de novos tormentos.

— Eu sei que não. Ouvi quando o que me jogou aqui disse que eu já estava pronta para o Sete Guizos.

— Não!!!

— Isso mesmo. Eu já vi uma cascavel rastejando por aqui e creio que estava à minha procura. Calei-me e ocultei meu rosto para não ser reconhecida. Até quando conseguirei ocultar-me?

— Eu a protegerei e, se preciso for, implorarei para que ele não a torture mais do que você já foi torturada pelo seu chefe.

— Se fizer isso, ele o torturará também.

— Que importa? Não vou abandoná-la neste momento, Laís. Já chega de fugir do passado.

— Mas você irá sofrer muito mais, Mário. Isso não é justo! Eu mereço apenas seu desprezo depois de prejudicá-lo tanto. Talvez estivesse hoje em uma elevada esfera luminosa se não fosse minha ação implacável contra sua ascensão.

— Se não fosse você a me reter, outra pessoa teria sido acusada por tal coisa, quando no fundo eu sou o meu algoz.

— Mas eu tenho uma parcela de culpa, e não me furtarei a ela. Já me decidi a não mais reagir perante meus erros. Já não tenho forças para mais nada e vou até meu fim, pois estou cansada de combater a Luz.

— Sabe, eu acho que algo muito forte nos une. Eu a amei assim que a vi junto de Priscila. Penso que ou ficamos os dois em um dos lados, ou seremos eternos errados cometendo os piores pecados.

— Também acredito nisso. Eu o vi mudar de aparência várias vezes quando reencarnava, e ainda assim só sentia aumentar minha vontade de tê-lo ao meu lado. A cada separação, eu sofria uma onda de ódio contra aquele que o separou de mim. Foi por amor que eu odiei tanto.

— Estranho, não? Quando amamos, cometemos os maiores erros que podemos imaginar. Tudo por causa dessa fonte inesgotável que existe em nosso interior. Se ela não pode jorrar amor, transmuta-se em fonte de ódio e lança-nos no pior abismo possível, que é aquele que existe em nosso mental. Como eu gostaria que tudo tivesse sido diferente!

– Fique comigo, Mário. Não me abandone mais, por favor!

Ela estendeu seus braços dilacerados e doloridos em minha direção. Eu, à custa de muita dor, puxei-a para junto de mim e a abracei. No pior momento de nossas existências, voltávamos a nos transmitir um amor puro, sem uma mácula de desejo ou de ódio.

– Diga que não me odeia, Mário.

Pediu-me isso aos prantos. Eu também me comovi e falei:

– Quem sou eu para odiar quem quer que seja? Não sei como, mas sinto que logo sairemos daqui, Laís! Quando isso acontecer, eu a levarei comigo e nunca mais a deixarei. Tampouco permitirei que faça algo que possa prejudicá-la novamente. Se preciso for, até lhe darei umas palmadas para que me ouça.

– Faça isso por mim, meu querido Mário.

Os dias se passaram. Talvez fosse melhor dizer "o tempo passava", pois dias, como aqui você conhece, lá não existem. O tempo passava e, de vez em quando, um rastejante vinha nos ver. Ficava um longo tempo vigiando-nos e depois se afastava. Isso se repetiu muitas vezes, sem nos incomodar uma vez sequer.

Eu reuni à minha volta meu grupo familiar, e um procurava auxiliar o outro. Foi um tempo de muito desespero pois, de vez em quando, entravam alguns seres horríveis e levavam alguns daqueles infelizes que, como nós, estavam reduzidos a nada. Eles saíam gargalhando e os escolhidos chorando, porque eram conduzidos sob correntes e chicotadas, caso não obedecessem.

Foram tempos de angústia, aflição, dor e compaixão. Compaixão pelos que, como cordeiros conduzidos ao matadouro, nada podiam fazer.

Não sei o que se passava na mente dos outros, mas a mim causava muita pena ver como sofríamos e como éramos tratados sem a menor delicadeza. A brutalidade era a regra ali, e eu, que um tempo atrás brutalizava minhas vítimas, agora via como era terrível ouvir os gritos de medo e dor, ver o castigo implacável ser aplicado contra quem nada podia fazer, e ter de calar porque senão seria muito pior para todos.

Eu vi espíritos humanos já degradados ao extremo e em franca regressão para formas animalescas virem vampirizar as últimas energias dos infelizes prisioneiros do abismo. Mal tínhamos energias para rastejar e suportar nossa pena, e ainda assim vinham nos vampirizar em uma ordem oposta à da Luz.

Sim, na Luz, o de cima doa sua luz ao de baixo para vê-lo elevar-se. Mas, nas Trevas, o de baixo tira o que restar de força vibratória do de cima para alimentar-se e vê-lo cair ainda mais.

São os opostos, e nós estávamos no lado escuro do mundo invisível.

Para ali vinham aqueles que tinham contas negras a ajustar e saciavam sua sede de vingança milenar. Vinham alguns que eu julgava serem sádicos desequilibrados, que torturavam unicamente pelo prazer de ouvir gritos de dor, contorções e espasmos dos torturados.

Mas aquilo que um dia, logo após meu desencarne, eu vira e abominara, no interior de um ônibus, ou seja, o relacionamento sexual entre espíritos em conexão com encarnados, aquilo que, à medida que eu caía, já não abominava e até viera a praticar com prazer, agora eu via ser levado às raias da loucura.

Sim, meu Deus, como era horrível!

Eu via bandos de seres humanos já disformes, tomados pela loucura do desejo e prazer, procurarem os prisioneiros e, em uma bestialidade total, relacionarem-se com eles.

Os espíritos que ainda possuíam seus genitais intactos, no campo espiritual, eram possuídos até que ficassem totalmente esgotados. Os possuidores de genitais masculinos procuravam as mulheres e, por incrível que pareça, somente aquelas que haviam dado extremo valor ao sexo, e as deixavam excitadas só de tocá-las.

Esses seres eram só desejo. Ao escolherem suas vítimas, tocavam seus mentais com suas mãos disformes, deixando-as tomadas pela excitação bestial que irradiavam. As dores, o medo, o nojo, etc., sumiam e sobressaía aquilo que as havia conduzido àquele abismo: o sexo imperava sobre todas as outras emoções e sensações, e as vítimas clamavam pela possessão bestial, no que eram atendidas. Eram possuídas com violência e bestialidade pelos seus algozes, até que ficassem sem a menor energia. Gemiam, não sei se de prazer ou de dor, pois as formas que as possuíam eram descomunais. Eu nunca havia visto nada comparável em homens com o corpo carnal ou espiritual perfeito.

Creio, hoje que estou reequilibrado, que naqueles seres caídos, por vibrarem na faixa do sexo nos limites da loucura do prazer bestial, os genitais cresciam à medida que nada mais existia. Eles exibiam seus sexos como o artista vaidoso exibe sua obra de arte. Para eles, não existia outra parte do corpo espiritual mais importante.

O sexo era princípio, meio e fim para aqueles infelizes caídos na bestialidade do prazer. Um avarento não cuidaria melhor de suas moedas de ouro do que eles dos seus sexos. E como eles vibravam ao possuir aquelas desgraçadas, condenadas ao castigo imposto pela Lei.

Um dia elas fizeram do sexo a razão de suas existências, e agora colhiam a reação de suas ações passadas. Se antes o colocavam acima de todos os outros valores morais e do sentido sagrado de doador da vida, agora eram levadas ao limiar da demência pelos seus carrascos infernais.

Elas eram possuídas com violência por eles. Primeiro urravam de dor por receberem membros descomunais em seu sexo, mas, depois que eram envolvidas totalmente, já não se incomodavam e até clamavam por mais. Iam nesse frenesi louco até o delírio total, para então explodirem em uma catarse bestial. Nesse momento eram sugadas através do sexo naquilo que lhes restava de energias.

Quando eram abandonadas, ficavam com o olhar vidrado em um ponto inexistente no infinito. Aos poucos, iam voltando às suas vibrações de dor, e o pranto dolorido tomava conta delas. Era um horror.

Que horror! Quem disse que o corpo espiritual não sente dor?

Como elas ficavam feridas e magoadas no mais íntimo de seus seres imortais após serem possuídas e vampirizadas daquela forma! Para elas, esse era um tormento infernal, que não cessava nunca, já que, mal se refaziam um pouco, novamente eram submetidas a outra sessão de humilhação, dor e prazer bestial.

Eu vi como aqueles espíritos caídos em uma faixa vibratória mental próxima da loucura conseguiam tirar um prazer mórbido de um ato sexual em que não havia troca de emoções ou energias, não havia amor e muito menos carinho.

Não, ali havia apenas a possessão bestial de mulheres infelizes que um dia, quando na carne, haviam feito de seus sexos o objeto de suas vidas. Os seus possessores eram os mesmos que, um dia, quando na carne, haviam colocado o sexo acima de todas as emoções divinas contidas no vaso sagrado da vida.

Como ambos os sexos haviam vivido em desequilíbrio, tal emoção perversa agora lhes cobrava seu preço, que é a loucura pelo sexo, que é incontrolável e conduz o ser humano ao esgotamento mental e ao embrutecimento de algo tão sincero como a troca de fluidos por meio do ato sexual envolvido pelo verdadeiro amor.

Ali não havia trocas, mas tão somente os possessores tirando as últimas energias de suas escolhidas.

E, mal elas se refaziam, logo vinha nova possessão brutal e animalesca, que as deixava prostradas como se fossem objetos inúteis, pois era isso o que eram.

Os possessores não viam que estavam causando dor, medo, ressentimento, humilhação e mágoas íntimas nas parceiras escolhidas em suas loucas emoções. Não percebiam que em seus mentais todas as outras emoções, como amor, pudor, respeito, caráter, compaixão, etc., haviam sido anuladas por uma única, que era o prazer do sexo.

Eu até diria que o fato de muitos encarnados viverem insatisfeitos com o tamanho dos seus membros viris tem a ver com esses desequilíbrios, pois senão, como explicar o fato de alguns bem-dotados viverem a vangloriar-se de seus membros? Eles o colocam como algo superior a todos os outros atributos do corpo, sentimentos e emoções humanas. Para eles, ali está o seu tesouro, sua obra de arte, e a exibem como se isso fosse algo que, por si só e sem o restante do todo de um ser humano, se justificasse.

Seria o caso de alguém, que tem uma outra forma de dar vazão a um dom natural (tal como a pintura), viver a gritar: "eu sou um pintor! Eu sou o melhor porque faço as maiores telas!" – sem se preocupar com o que está contido na sua tela, mas sim com o seu tamanho.

Existem telas pequenas que, por estarem inundadas pelas emoções sadias do seu criador, transmitem-nos algo inenarrável. São emoções e sentimentos sadios, e as telas não precisam ser grandes para mostrarem suas qualidades.

Para o exibicionista inundado pelas distorções existentes em seu mental, um pequeno quadro é humilhante, porque seu ego não se satisfaz apenas com as emoções e precisa de demonstrações de grandeza.

Mas como é mais fácil conservar em perfeito estado uma tela de medida padrão, e muito trabalhoso uma de medidas exorbitantes, eu também vi muitos desses exibicionistas vagarem naquele abismo à procura de uma forma feminina que despertasse os seus flácidos e repugnantes membros não mais viris. Era o preço a ser pago pela degradação de uma emoção, divina quando em equilíbrio com todas as outras, e bestial quando valorizada a ponto de anular o restante do emocional humano.

Como eles sofriam por não conseguirem nada mais que humilhações com seus descomunais membros! Batiam nas escolhidas que não os despertavam. Urravam de ódio pela impotência. Creio que Masoch (Sade), quando escreveu algo sobre isso, havia descido em espírito a um desses abismos e, quando voltou ao corpo carnal, fez sua obra-prima bestial.

Alguns ainda conseguiam algumas emoções à custa de muito sofrimento. Nesse ponto, seus corpos espirituais já estavam em franco esgotamento e em total desequilíbrio mental. Aquilo que havia tomado conta de suas emoções voltava-se contra eles, e os outrora valiosos membros agora eram um peso difícil de carregar e algo vergonhoso de ser exibido. Era como uma chaga aberta e exposta ao olhar crítico de todos à sua volta.

Aqueles que ainda controlavam suas loucas emoções faziam gracejos humilhantes a respeito de seus membros, sem se darem conta de que trilhavam o mesmo caminho. Tudo era loucura!

Quando não conseguiam arrancar à força, e por meio de seus membros, a energia de suas escolhidas, ficavam prostrados no solo. Choravam e lamentavam-se de sua impotência, como se o mundo houvesse deixado de existir. Nada mais tinha valor ou significado para eles. Às vezes, tomavam-se violentos e eram possuídos pela loucura, passando a martirizar quem estivesse à sua volta. Mas, ao final, voltavam à prostração total e ficavam olhando, tristes, os outrora objetos de suas desprezíveis existências, tanto na carne quanto em espírito.

Aí então começavam os seus tormentos finais.

Sim, é isso mesmo! Depois, quando os seus imensos membros já não conseguiam absorver energias alheias, e muito menos responder aos desejos do mental, tornavam-se cadáveres inúteis, como todo cadáver o é, de serem arrastados.

E, como todo cadáver, que é um corpo sem energia, começavam a apodrecer. Que horror!

Vermes astrais, miasmas das mais diversas e nojentas formas começavam a se alimentar dos seus descomunais membros, não mais viris e energizados pelo prazer bestial do sexo.

Chagas horríveis surgiam e pouco a pouco iam crescendo. Eram como câncer a comê-los. Urravam de dor e desespero. Gritavam por socorro e o que obtinham eram chicotadas violentas dos guardiões do lugar. Alguns mais cruéis chicoteavam injustamente os outrora objetos de suas abjetas existências, tanto na carne quanto em espírito. E essas chicotadas abriam sulcos em seus membros, que logo se transformavam em horríveis inflamações.

O pavor tomava conta deles, pois, como eu já disse antes, o corpo espiritual sente dor. E como sente!

Eles caíam na loucura do desespero e queriam se ver livres das dores. Alguns chegavam a arrancar pedaços já putrefatos dos seus descomunais membros. Isso aprofundava sua loucura, pois a dor era tão intensa que mal a suportavam.

Eu acredito que todo o prazer obtido pelo sexo era transformado em dor, e assim seus mentais eram descarregados dessa emoção bestial quando em desequilíbrio.

Era o preço sendo pago até o último centavo. Não havia cura para as chagas surgidas, e muito menos bálsamo para aliviar o sofrimento infernal.

Capítulo 8

O Mergulho nas Profundezas do Abismo

Era a Lei Divina atuando implacável sobre aqueles que não souberam dosar suas emoções e as desequilibraram.

Meu Deus! Como era triste ver o sofrimento daqueles infelizes. Eu os olhava e sentia pena, pois não passavam de vítimas de suas próprias loucuras, agora transformados em algozes de si próprios; seus torturadores e os causadores das dores e do sofrimento, quem eram senão os seus outrora tão valorizados membros viris?

Que horror! Eles os olhavam como se fossem os piores demônios castigadores. Amaldiçoavam seus sexos carcomidos pelos vermes e miasmas. Urravam de dor e clamavam por auxílio e perdão por terem se deixado envolver e conduzir por essa emoção tão gratificante quando equilibrada com o todo contido no vaso da vida, mas tão perversa quando bestializada.

Era a Lei Divina agindo de forma sábia e implacável sobre o ser humano.

Sim, eu descobria a Lei Divina em toda a sua força, e na grandeza de sua atuação em nosso próprio benefício. Quando damos muita atenção a uma emoção e esquecemo-nos das outras que compõem o todo emocional, estamos nos conduzindo para o seu extremo, podendo chegar aos limites da loucura.

Como em toda manifestação de uma emoção em desequilíbrio, a Lei aguarda-nos no seu esgotamento final, para então começar sua ação regeneradora. Ali eu via a expiação final da emoção sexual levada ao seu extremo.

Eu vi várias emoções serem expiadas naquele abismo infernal. Mais adiante relato um pouco sobre elas, pois ainda não falei tudo o que vi em relação ao sexo.

Eu vi mulheres possuídas por aqueles seres bestializados serem levadas à loucura da dor, da humilhação e da destruição de seus órgãos sexuais. Vi como eram reduzidas ao nada absoluto.

Vi seus outrora perfeitos órgãos genitais ficarem negros, putrefatos e nojentos. As partes femininas, que tanto prazer despertavam, agora causavam nojo a quem as visse. Eram possuídas até o limite de suas energias e, quando ficavam totalmente esgotadas, começava o apodrecimento do órgão desenergizado.

Tal como acontecia com os algozes que as possuíam envolvidos pela loucura do prazer do sexo, elas também apodreciam em seus genitais e choravam desesperadas. Como era horrível assistir a tudo aquilo caído no solo imundo!

Eu havia sido reduzido a um farrapo humano devido ao castigo a mim imposto pela Lei Divina. Quando ela era acionada, eu nada podia fazer, senão dirigir-lhes algumas palavras de consolo. Pouco a pouco, eu voltava a ser o homem bom que havia sido na minha última encarnação.

Eu sofria com o sofrimento tanto delas quanto daqueles que estavam sendo levados à loucura pela destruição dos seus membros viris. Procurava consolá-los com palavras equilibradoras: "Não se desespere, meu irmão! Nós apenas estamos colhendo aquilo que plantamos no tempo em que vivíamos na carne, ou logo após nosso desencarne", dizia para uns. "Isso é a ação da Lei Divina, irmã! Não se desespere, pois assim que for purgado todo o manto negro que a envolve, a Lei cessará de agir sobre você", dizia a elas.

Algumas haviam usado o prazer que seus sexos proporcionavam aos homens para levá-los a cometer crimes, pecados e afrontas às Leis Divinas, e até às leis humanas. Por isso, tinham seus sexos destruídos por homens que haviam cedido todo o seu emocional a apenas uma emoção: a emoção do prazer do sexo.

Ali, quem usara do sexo para conseguir seus objetivos sujos era castigado pelo sexo. E quem vivera pelo sexo, pelo sexo era torturado.

Sim, ninguém colhe o que não plantou. Mas aquilo que semeou, colhe até o último grão.

Eu estava despertando para as Leis Divinas e tomava consciência de que meu tormento ainda não havia terminado. Não, eu ainda veria e sentiria muitas outras dores, pois estava sob o efeito da Lei da Transformação. Ela atuava em mim com todo o seu poder regenerador e reformador e, pouco a pouco, eu me tornava mais sensível à dor.

E a dor veio até mim de forma indireta. Eu assistia à degradação dos habitantes daquele abismo sem poder fazer nada para aliviá-los. Só me restava dar-lhes palavras de consolo para que pudessem suportar as dores de suas regenerações e transformações em seres equilibrados novamente, uma vez que se livravam das emoções que os havia levado à queda.

Mas a dor finalmente lançou-se sobre mim com toda a sua força destruidora. À minha volta já havia muitos espíritos levados ao extremo de seus tormentos. Eu os consolava, e isso diminuía um pouco seus sofrimentos. Em consequência, o meu também, porque sofria com suas dores, fazendo com que as minhas não me incomodassem tanto.

Então, um grupo de espíritos enlouquecidos pelo desejo descobriu Priscila oculta por nós. Eu tentei ponderar com eles:

– Não façam isso com minha filha, meus irmãos. Deixem-na em paz. Ela já sofreu muito.

– Quem está preocupado com o sofrimento dela, seu imbecil? Nós queremos dar-lhe um pouco de prazer, e nada mais.

– Vocês irão fazê-la sofrer, isso sim!
– Cale-se, idiota!
– Afastem-se, seus tarados depravados. Vocês estão loucos!
Então vi a chicotada mais dolorida ser aplicada em mim:
– Quem é você para nos repreender, executor? Quando ela vendia seu belo corpo e seu sexo, você nada fez para desviá-la desse caminho. Quando ela era uma prostituta, você só se preocupava em evitar que ela fosse molestada por algum beberrão arruaceiro e nada mais. Não foi bom para ela ganhar seu sustento com seu tentador corpo e seu sexo ardente? Não era você o pai que nada fazia para impedi-la de ser uma meretriz? Onde estavam seus sentimentos nobres quando ela fazia do sexo seu balcão de comércio? Onde estava o pai que amava a filha, mas permitia que ela vendesse um sentimento, que é a emoção do prazer do sexo? Você não sabe que os sentimentos não foram dados ao ser humano para serem comercializados? Ela não gostava de receber pelo prazer que proporcionava aos homens? Agora irá nos "dar" prazer, pois aqui não pagamos nada.
– Não façam isso! – exclamei, humilhado.
– Só agora você se preocupa com ela? Quer que paguemos algo pelo prazer que ela irá nos proporcionar?
– Ótimo! Então lhe pagaremos – gritou outro.
– Tome, maldito pai que não se preocupou quando sua inocente filha foi vender sexo em uma casa de meretrício!
E eu fui agredido com violência. Eu já estava reduzido a um farrapo humano, e agora era chutado, esmurrado e nada podia fazer, senão gritar de dor.
O extremo foi feito contra mim, pois um daqueles desequilibrados tomou-me por homossexual e brutalizou-me barbaramente. Aquele ato bestial feriu-me em todo o meu ser.
Eu era brutalizado e ouvia as gargalhadas de sádico prazer daquelas criaturas. Ouvia as suas palavras ofensivas dirigidas a mim:
– Agora você também é uma meretriz, papaizinho.

– Está vendo como é agradável se prostituir?
– Isso mesmo! Agora nós temos mais uma vadia para nos dar prazer.

E muitas outras ofensas. Eu sofria o tormento da brutalidade que só os enlouquecidos pelo sexo conseguem praticar, ou seja, não se preocupam com a dor e o mal que causam aos semelhantes, desde que lhes proporcionem um instante de prazer.

Eu fui lançado no desespero da violência sexual. Laís tentou socorrer-me e gritou para que eles parassem, mas o que conseguiu foi despertar a atenção daqueles seres enlouquecidos por sexo.

– Olhem só quem está se doendo pelo canalha! Ela agora se preocupa com um homem.
– Por que não se preocupava quando lançava na perdição homens e mulheres vítimas de suas atuações diabólicas, quando era uma poderosa feiticeira?
– Não, ela não se preocupa com ninguém, a não ser com seu queridinho! Por ele, ela não ouviu a voz da razão nem viu as desgraças que causou aos infelizes viventes na carne que a haviam desagradado um dia.
– Sim, poderiam passar séculos que ela não os esquecia, e procurava a todo custo e de todas as maneiras vingar-se deles.
– É isso mesmo! Vamos extrair dela a mesma quantidade de prazer que ela dedicou de ódio aos seus desafetos.
– Sim, mas com ela será diferente. Nós temos de fazê-la sentir tanto, mas tanto prazer que, em vez de nos odiar, se tornará escrava de nossos sexos!
– Isso mesmo! Eu sei como levá-la a isso.

E Laís foi submetida ao tormento do sexo enlouquecido. Ela reagiu e tentou lutar. Então foi violada com uma brutalidade infernal.

Ao tocarem nela, conduziram-na ao êxtase, e então vampirizaram a energia do seu mental e do seu corpo espiritual. Quanto a mim, nada podia fazer, pois não conseguia nem falar, quanto mais me mexer.

Vi quando foram para onde estava a minha esposa. Ela gritou que nada havia feito de errado, mas ouvi quando um lhe falou:

— Já se esqueceu de quando seduziu esse idiota aí que só esperava sua filha crescer um pouco mais para pedi-la em casamento? Ou será que não se satisfazia com o seu marido?

— Isso mesmo, companheiro! Ela não se satisfazia com o marido e não se satisfez com o idiota também, pois também buscava o prazer com o patrão dela.

— Não! - gritou ela. - Eu tive apenas uma relação com meu patrão porque Vítor não ligava mais para mim e vivia bêbado dia e noite.

— Por acaso não lhe ocorreu que ele estava se embebedando por causa da sensação de que havia perdido a chance de se casar no futuro com a sua filha? Não lhe ocorreu que ele bebia por causa do remorso de ter possuído a esposa do melhor amigo? Não, nada disso lhe ocorreu, pois você só pensava no prazer que ele lhe proporcionava.

— E ela ainda chama isso de amor. Eu conheço a definição correta para esse sentimento, mulher! Chama-se prazer, e prazer terá em nossos braços, porque nós sabemos como proporcioná-lo a quem quer da vida só o prazer, e nada mais.

E minha esposa da última encarnação foi brutalizada ao extremo pelo grupo de enlouquecidos pelo sexo. A dor e a humilhação tomaram conta do seu mental, e seu corpo espiritual, todo ferido, foi violado com crueldade.

Então se voltaram finalmente para Priscila, que estava apavorada e dava gritos histéricos.

— Não grite, pois ninguém liga para seus gritos, sua vadia. Por que chora de medo agora, se quando estava na carne vivia a proporcionar prazer aos homens?

— Sim. Lá você recebia dezenas em uma única noite e não chorava, muito pelo contrário, até dizia que a noite havia sido ótima porque lhe rendera um ótimo ganho em dinheiro sujo.

— Isso mesmo! Agora você vai receber todos nós, e terá a mais longa e rentável noite de sua imunda existência.

— Sim, meretriz! Que bela e emocionante noite nós lhe proporcionaremos.

E Priscila sofreu, em toda sua extensão e intensidade, o tormento do sexo.

Nós víamos e nada podíamos fazer. Dos meus olhos sofridos de tanto ver o horror, lágrimas corriam. Eram as lágrimas de remorso por interferir no livre curso do carma que ela deveria viver naquela encarnação. Eu havia alterado a vivência desse carma ao bloquear a ação dos dois protetores enviados a ela. Sim, eu tirara a vida de Vítor, impedira-o de se casar com ela e de torná-la uma mulher decente, embora ela fosse sofrer de qualquer maneira, pois não amava Vítor e sentia nojo por ter sido violada na inocência dos seus 13 anos por aquele homem de 23 anos, tomado pelo desejo do possuí-la como mulher.

E se Vítor, ali naquele abismo infernal, ousou tomar a palavra em defesa dela, ouviu tudo isso, e muito mais, da parte deles.

— Quem é você para defendê-la agora, assassino? Não foi você quem se aproximou todo prazeroso do pai dela somente porque a achava muito bonita? Não foi você que aceitou o jogo da mulher dele apenas para conseguir ficar ao lado da filha? Você até teve a coragem de matar a pequenina Eliana para ficar sozinho com Priscila.

— Não! — gritou ele. — Eu a matei em um momento em que estava cego pelo álcool.

— Mentira! Você sempre pensava em uma forma de se livrar da menina, e esta foi a mais fácil. O álcool apenas facilitou a execução dos seus planos mórbidos. Se não fosse sua embriaguez, talvez usasse outro artifício para se livrar da presença incômoda da menina e ficar a sós com esta aqui.

— Sim! — gritou outro daqueles tarados — Ele matou uma pequenina e violou a outra.

– Não, Priscila não era uma pequenina. Tinha o corpo de uma mulher – justificou-se Vítor.
– Que importa se tinha o corpo de mulher? Ela tinha apenas 13 anos, e ainda não amadurecera mentalmente. Você se esquece de que é a mente que precisa estar preparada para as coisas dos sentimentos humanos? Sim, somente quando o mental está preparado é que ele pode ser submetido a certas emoções críticas.
– Isso mesmo, companheiro! – exclamou outro – Eu estou ouvindo em seu mental os gritos de dor da pequena Priscila. Sim, como são doloridos esses gritos! São tão doloridos que me causam um desejo imenso de fazer Vítor gritar de dor e prazer. Se, pelo prazer de possuir Priscila, ele traiu o amigo, tomou-lhe a esposa nas suas ausências do lar, matou a pequena Eliana e brutalizou com toda a violência do seu sexo e desejo a sua amada Priscila, ele não pode se justificar dizendo que fez tudo por amor. Ninguém faz tudo isso motivado por esse sentimento. Não! Ele estava possuído pela paixão louca e pelo desejo de possuí-la.
– Desejo, paixão e possessão era o que Vítor sentia por ela, e praticou aquilo que esses sentimentos despertam no ser humano, que são violência, covardia, traição e falsidade.
– Sim, Vítor foi falso com Mário ao se aproximar dele. Traiu-o com sua esposa. Depois foi covarde ao matar a pequena Eliana, e agiu com brutalidade contra Priscila.
– Isso mesmo! – gritou outro. – E olhem que já havia sido covarde em uma encarnação anterior, quando teve a suprema covardia de tirar a própria vida, em afronta direta à Lei Maior que lhe havia permitido reencarnar em um meio hostil, já que, em uma encarnação anterior, ele havia escravizado as três mulheres, fazendo delas suas vítimas sexuais, pois era um homem movido pelo desejo e pelo prazer.
– É isso, Vítor! Você não muda jamais. Sempre age como um covarde. Quando irá se tornar um homem de verdade?

— Ele nunca será um homem na acepção da palavra, porque sempre esquece que a vida tem outras utilidades além da satisfação de possuir sexualmente a mulher que mais lhe agrada.
— Sim, é isso mesmo. No tempo em que era o chefe daquela aldeia, matou o Mário para ficar com sua esposa, que era Priscila, e as duas filhas, que eram sua atual esposa e a pequena Eliana.
— Canalha! – gritou um outro – Naquela encarnação você deu vazão a toda a covardia que há no seu mental. Mas, quando foi sua vez de suportar a prova, matou-se. E quando a Lei lhe deu a oportunidade de reparar seus erros, quando Mário iria sofrer o castigo por tê-lo conduzido à covardia do suicídio e por ter possuído Priscila e despertado o ciúme de sua antiga amante que, em decorrência, matou-a na outra encarnação, você falhou. Não suportou, nem se contentou em ficar apenas com a esposa atual de Mário. Não. Ainda em um gesto asqueroso, matou Eliana, que havia sido sua mãe amorosa na outra encarnação e que tentou despertar-lhe a razão e o raciocínio quando você ficou desolado pela perda de sua paixão. Você matou aquela que iria ajudá-lo no futuro, fazendo-o ver que deveria deixar Priscila em paz para todo o sempre, porque aquilo que sentia por ela era paixão e desejo, e não o tal amor que você dizia sentir.
— Sim, Vítor, é isso mesmo! – falou outro. – Uma vez você desgraçou Mário, ao matá-lo e tomar para si a esposa muito bonita e suas duas filhas mais lindas ainda. E sabe quantos anos elas tinham quando você as violou com brutalidade naquela encarnação? Treze e 12 anos, respectivamente, Vítor! E sabe o que aconteceria nessa sua última encarnação se a pequena Eliana tivesse mais idade? Não sabe, maldito violador? Pois eu lhe digo, canalha. Você também a violaria com a desculpa da maldita bebida. Sempre foi assim. Você sempre bebia antes de praticar os seus atos covardes de violação de meninas impúberes e mal despertadas para a forma de mulheres. Você é, e sempre foi, um canalha covarde que chama de amor o seu desejo e prazer. Desde

quando o amor comporta a dor, canalha? Vamos, Vítor, responda: quando o amor comporta a dor alheia?

— Nunca — gemeu Vítor.

— Pois é isso, Vítor! — exclamou enfurecido e excitado o homem que lhe jogara tudo aquilo na cara. — Qualquer um que o ouvisse dizer que se suicidou por amar uma mulher iria se compadecer de sua sina, covarde. Mas nós sabemos que você é um canalha covarde, e isso desperta mais e mais o desejo de vê-lo sentir toda a dor que causou às infelizes por causa do prazer que as formas femininas lhe causavam.

— Sim, Vítor. Nós lhe causaremos a dor que seus desejos covardes provocaram nas mulheres. Agora você vai sentir como é horrível ser violado por alguém embrutecido pelo maldito desejo do prazer do sexo.

— Olhe para nós, Vítor. Veja ao que nos levou o desejo do prazer! Nós sentimos prazer até ao violentar um canalha igual a você.

E Vítor foi submetido à tortura do sexo transformado em instrumento castigador. O que fizeram com ele foi tão violento quanto o que fizeram com Priscila, e mil vezes pior do que haviam feito comigo. Era um paradoxo, mas era uma forma de ação violenta contida na Lei, que diz: "Quem com ferro fere, com ferro será ferido".

E o nosso tormento durou o tempo da destruição de nossos sentimentos e emoções relacionados a isso. Pouco a pouco, fomos deixados de lado.

Mas um novo tormento abateu-se sobre Vítor e sobre mim.

Espíritos femininos também vagavam naquele abismo à procura do prazer. Eles nos torturavam com suas formas tentadoras e nos levavam ao êxtase ao tocarem em nossos órgãos sexuais, vampirizando-nos com todas as suas volúpias e taras. O horror e a tortura do sexo castigaram-nos até que sofrêssemos a destruição total de tal emoção em nossos mentais.

Daquilo que havíamos sido um dia, quando ainda tínhamos o amparo da Lei Divina, nada restou senão farrapos. Eu já não conseguia consolar quem quer que fosse, porque estava no limiar da loucura total. Agarrava-me a um fio tênue de racionalidade, na tentativa de não cair no abismo mental que se abria no mais íntimo do meu ser imortal.

Eu orava a Deus em silêncio, para que se apiedasse de todos nós. Eu me agarrava na crença de que Deus não havia me esquecido, mas tão somente tornara-me o algoz de mim mesmo.

Eu ainda tinha consciência de que estava colhendo os frutos daquilo que havia semeado. Algumas vezes eu falava isso aos que estavam à minha volta, na tentativa de não deixá-los transpor a linha que separa a razão da loucura total.

Então ouvi um som que me arrepiou por inteiro. Ainda dei um grito de horror.

As cascavéis!

Centenas delas invadiam o abismo que habitávamos. Chacoalhavam seus guizos infernais e deixavam-nos horrorizados.

E aquela voz que eu tanto temia se fez ouvir:

— Como vai, chefe? Ainda restou algo para mim, do outrora tão frio e cruel executor? Sabia que o guardião transformador entregou este vale para mim? Agora tudo isso é meu, executor! E você, que um dia cruzou meu caminho e quis matar quem eu devia proteger, agora é meu também. Que ironia, hein, chefe? Lembra-se de quando lhe falei que eu seria o único que poderia ajudá-lo? Chegou sua hora, chefe!

— Mate-me, réptil. Crave suas presas venenosas em meu mental e acabe comigo para sempre. Eu já não suporto tanto sofrimento.

— O quê?!! Quer me transformar em um miserável executor igual ao que você foi quando tinha o livre-arbítrio para escolher seu caminho? Nunca!!! Prefiro vê-lo sofrer a adquirir os direitos que o lançaram nesse abismo transformador.

— Mate-me, rastejante! Por favor, mate-me!

— Que é isso, chefe! Vá com calma. Isso não é coisa que se peça nem a um réptil como eu. Também tenho minha moral e razão para ser o que sou. E não vai querer que eu caia mais do que já caí, não é mesmo?

— Mas estou sofrendo muito.

— Do que reclama agora? Quando sofreu a morte da carne sob o amparo da Lei, você não soube agradecer por estar com o espírito e o mental intactos, e procurou degradar os dois. Agora vem me pedir que o liberte do abismo que você mesmo cavou? Com suas loucas ações, enfiou-se na sua parte mais profunda. Negativo, chefe! Negativo, mesmo! Não vou fazer nada disso. Este abismo é todo meu a partir de agora, e vou ver como faço para esvaziá-lo. O guardião chefe quer vê-lo vazio, porque existem alguns milhares de caídos à espera de um lugar para iniciarem suas transformações.

— Que transformação, réptil?

— Em algo melhor ou pior do que eram antes de serem postos sob sua guarda.

— Como alguém pode melhorar nesse inferno, réptil?

— Você teria coragem de executar mais alguém?

— Não. Hoje eu me arrependo de ter feito tal coisa.

— Você teria coragem de interferir no carma de mais alguém, e só piorá-lo?

— Não. Estou pagando o preço por ter ousado fazê-lo com minha filha.

— Então você já melhorou, chefe. Ainda não tem noção de tudo o que lhe ocorreu, mas já se transformou. Até me pediu para executá-lo! Você, que era um executor, teve a coragem de pedir a uma cascavel que lhe cravasse as presas para que parasse de sofrer. Neste ponto está a sua transformação para pior, porque, se não pode tirar a vida de ninguém, então não pode tirar ou pedir que tirem a sua, ou estará afrontando a Lei da Vida. Entendeu, chefe?

— Sim, réptil. A única maneira é suportarmos nosso tormento calados.

— Também estará indo para pior, porque o momento é de olhar para o alto, e não de se voltar para a autoflagelação.

— Quem é você para falar em Deus?

— Eu sou alguém que caiu e teve quem o acolhesse enquanto ainda era tempo. Hoje eu sou o que sou, mas sei porque sou assim e o que devo fazer para não cair mais. Sei também o que devo fazer para saldar um pouco dos meus débitos.

— Quem o ajudou, réptil?

— Em princípio foi um espírito humano igual a todos nós, mas com uma diferença fundamental: ele era, e ainda é, um instrumento de Deus e de sua Lei Transformadora.

— Chame-o para nos ajudar, amigo Sete Guizos.

— Não posso, executor.

— Por que não?

— Ele é o mesmo que você, sua filha e sua amiga feiticeira tentaram arrancar da carne.

— Não!!!

— É isso mesmo, chefe. Ele o ajudou muito enquanto estava no mundo dos espíritos, mas agora está na carne e nada poderá fazer por você.

— Como posso obter ajuda, meu amigo?

— Ore a Deus, e talvez alguém ligado a você em sua última, ou em uma outra encarnação, venha socorrê-lo sob o amparo da Lei.

— Só restaram minha filha Eliana e meus pais. Amigos, tive apenas aqueles que de mim se aproveitaram enquanto tive dinheiro.

— Então você está mal, chefe. Sua filha está em um local para onde são levados os espíritos de crianças que não têm pais, e quanto aos seus pais, bem, eles já reencarnaram e muito menos podem fazer por você, pois ainda são crianças.

— Meu Deus! — exclamei chorando. — Não tenho a quem recorrer.

— Como não, chefe? Acaba de pronunciar o nome dele em desespero.

— Tem razão, amigo cascavel. Só me resta Deus.

— A todos os habitantes deste lugar, só resta Deus, ou a perdição total.

— Como assim?

— Somente dois seres imortais, invisíveis, onipotentes e oniscientes que vivem no interior de todo espírito humano podem ouvir os que chegaram onde vocês chegaram.

— Você diz haver dois?

— É isso mesmo, chefe. Em seu ser imortal vivem em equilíbrio o poder de fazer o bem e o poder de fazer o mal, não é verdade?

— Sim.

— E tem o poder de construir ou destruir, de abençoar ou amaldiçoar, etc., não é mesmo?

— Sim.

— Então, vive em seu mental o poder de se fazer ouvir por Deus, nas suas ações nobres, e também pelo senhor das Trevas, em suas ações más, não é mesmo?

— Sim.

— Então clame a um dos dois, e sairá desse abismo mais dia menos dia.

— O que devo fazer, Sete Guizos? A quem eu clamo para ser ouvido rapidamente?

— Sou um péssimo conselheiro, executor! Lembra-se dos dois homens que velavam por sua filha Priscila?

— Sim, mas muito vagamente.

— Pois eu sou um deles, executor.

E a cascavel voltou à sua forma humana, e eu vi um dos dois homens que tentavam protegê-la e guiá-la. Então eu lhe perguntei:

— Quem era o outro?

— O meu companheiro Sete Presas.

Ele chamou o seu companheiro que conversava com a feiticeira, e então vi os dois que tentaram me dissuadir de interferir no carma de minha filha.

— É isso, chefe! Nós tentávamos fazer o trabalho que nos havia sido ordenado pelo nosso chefe na Luz, mas você se deixou levar pelo que habita o lado negro do seu mental. Azar o seu, não?

— Sim, meu amigo, muito azar.

— Ou será ignorância?

— Também.

— Não terá sido por maldade, insensibilidade ou ciúmes, chefe?

— Certamente que sim, Sete Guizos.

— Então clame a um dos dois, chefe. Lembre-se de que, quando você clamou pelo das Trevas, o auxílio veio rapidamente, não é mesmo?

— Isso é verdade, mas eu só piorei a situação para todos nós.

— Pois é isso, chefe. Clame ao da Luz e certamente irá se clarear, assim como tudo à sua volta. Se clamar ao das Trevas, logo tudo se escurecerá.

— Eu escureci, e por isso estou sofrendo tanto, e não aliviei o sofrimento de ninguém.

— Agora já sabe, chefe. Você é livre para escolher: se quiser clame ao seu lado escuro, e logo sairá desse abismo.

— Mas apenas iniciarei uma nova queda.

— Isso é um problema, não?

— Como assim?

— É mais fácil descer que subir. Se quiser subir, terá de apanhar pedra por pedra e construir a torre que o elevará desse abismo negro em que se lançou pela vivenciação dos vícios das Trevas. Terá de erguê-la até uma altura em que exista a verdadeira claridade da razão e do saber.

— Você conhece os mistérios sagrados, Sete Guizos. Como pode saber tanto, se ainda é um réptil?

— Nem todos os que você vê na forma de uma cobra são o que aparentam ser. Usam essa aparência porque assim podem rastejar até os mais profundos abismos e recolher as pedras de suas torres, que os elevarão até a claridade da verdadeira luz da verdade. Eu, como uma cascavel, posso rastejar por todos os abismos das trevas da ignorância e recolher aqueles que, de uma forma ou de outra, ajudei a cair. Umas vezes por omissão, outras por ciúmes, ódio, inveja, falsidade, paixão, etc. Só assim poderei reconstruir a minha torre, e espero um dia poder transformá-la em um farol que ilumine o caminho dos que queiram me seguir, elevando, assim, suas torres à minha volta.

— Quem foi o mestre que o instruiu, amigo Sete Guizos?

— Já lhe disse. Foi aquele que vocês tentaram arrancar da carne.

— E pensar que eu tentei destruir quem tanto procurou ajudar-me a alcançar a Luz da verdade.

— Não foi só você, chefe. Todos os que estão nesse abismo tentaram a mesma coisa.

— Como?!!

— Isso mesmo, chefe. Todos os que estão aqui esquecidos tentaram fazer o mesmo, e caíram um pouco mais.

— Por que tantos não conseguiram derrubá-lo?

— Você pode subjugar uma Lei Divina?

— Não. Agora eu sei que ela se faz por si mesma e ampara quem tem de ser amparado, assim como verga quem faz por merecer tal ação por parte dela.

— É isso, chefe! Ninguém poderá derrubá-lo senão ele mesmo. Ele é seu juiz e seu algoz. Enquanto agir na Luz da razão, nada o destruirá, mas, no dia em que afrontar a Lei, ele mesmo se destruirá. Assim é a Lei! Assim sempre será, como sempre tem sido.

— Compreendo.

— Não fique triste, chefe! Existem mais alguns abismos cheios dos que estão tentando destruí-lo. Logo estarão no ponto

de descer um pouco mais ou reiniciar suas doloridas ascensões aos domínios da Luz do saber.
– Existem outros abismos em função do mesmo desejo de destruí-lo?
– Isso mesmo, chefe. O sétimo círculo descendente abriu suas portas e lançou contra ele todo o seu potencial. São golpeados com a mesma fúria que os executores das Trevas golpeiam as suas vítimas. É o inverso na aparência e na finalidade.
– Como assim?
– Nas Trevas você golpeia sua vítima e causa-lhe dor com o intuito de destruí-la, mas na Luz você sofre os golpes que despertarão a justa justiça da Lei, que vergará até o extremo o injusto golpeador.
– Meu Deus! O tempo todo nós fomos vigiados pela Lei.
– Isso mesmo, chefe. Eu ainda tentei dissuadi-lo de se meter com ele, não?
– Sim.
– Ainda tentei fazê-lo ver que somente a mim competia fazê-lo sofrer a ação da Lei, e você não me deu ouvidos.
– Sinto muito tê-lo atacado, mas ao final de tudo foi um bem para mim.
– Por que diz que foi um bem para você, se está todo ferido, marcado e magoado?
– Tal ação evitou que eu continuasse a praticar o mal. Se não fosse isso, eu continuaria a prejudicar meus semelhantes.
– Está se transformando para melhor, chefe.
– Estou despertando para a Luz da razão.
– Mas ainda não está salvo, chefe. Está sujeito à ação de seu tormento e, quando menos suspeitar, estará se lançando nas trevas da ignorância, e então cavará um abismo mais profundo do que este.
– Vou lutar para que isso não aconteça, Sete Guizos.
– Como?

— Clamando ao único que me restou e o único que me ouvirá nesse abismo profundo. Se somente Deus pode me ouvir, então clamarei por Ele e sei que serei ouvido.

— Isso é certo, executor. Mas o tão ansiado auxílio poderá demorar para chegar. Ele terá de encontrar alguém que queira descer até aqui para resgatá-lo e ajudá-lo a se curar e reiniciar sua caminhada. Como fará, se não tem quem se lembre de você?

— Não importa, meu amigo! Deve haver alguém, em algum lugar, que queira, em um gesto extremo de caridade e amor, vir auxiliar-me, quando assim Deus achar que eu merecer.

— Você até que não é burro, executor.

— Por que não me chama pelo meu nome?

— Qual é o meu?

— Sete Guizos.

— Quem tem Sete Guizos?

— Uma cascavel.

— Então o que sou?

— Uma cascavel.

— É isso, executor! Eu serei o que sou enquanto restarem pedras espalhadas que possam compor a minha torre. Ela alcançará a Luz no dia em que eu reconstruí-la. Até lá, eu sou o que sou, não importando a aparência que eu venha a assumir. Somente deixarei de ser um "Sete Guizos" no dia em que todas as pedras destinadas à minha torre estiverem em seus devidos lugares, formando um sólido farol a iluminar as Trevas, nas quais tantos ainda rastejam na ignorância dos vícios adquiridos na carne e intensificados na vivência espiritual.

Nesse momento, os guizos começaram a soar e ele falou:

— Está na hora de ir, executor.

— Por que ninguém foi picado por seus amigos?

— Só porque vocês desejam livrar-se dos seus tormentos imaginam que outros devam se atormentar também? Nem todos os que estão ocultos sob a forma de répteis são venenosos. Muitos a mantêm, assim como eu faço, por simples conveniência.

Assim podem fazer o bem e reconstruir suas torres que um dia destruíram por praticarem o mal. Olhe para nós, executor. Veja que esperam apenas o mal de nós todos. Por isso somos temidos e evitados, enquanto que, daqueles que têm a forma humana, ninguém sabe o que esperar. Muitos sofrem duros golpes, desiludem e revoltam-se contra a Lei Maior e seu maior guardião, que é Deus: a Lei Viva e a Vida da Lei. Quando alguém vê uma cascavel praticar o bem, surpreende-se, porque dela só esperava o mal. É o inverso do que acontece com os que mantêm a forma humana: todos esperam que ele faça somente o bem, e no entanto surpreendem-se quando ele faz o mal. Depois não têm a calma suficiente para confiar na Lei Divina que diz: "Quem prega o amor, com amor será compensado, e quem prega o ódio, com o ódio será pregado". Bem, os guizos já chacoalharam pela terceira vez. É hora de voltar à crosta.

– Por que vieram até nosso abismo?

– Antes do mal bater à sua porta, a Lei manda alguém para avisá-lo.

– Como assim?

– Seu tormento está prestes a se consumar. A transformação então cessará, e vocês ou subirão ou descerão, pois o guardião transformador quer esse abismo vazio em pouco tempo.

– Então virão aqueles que tentarão nos induzir a uma nova queda?

– Sim.

– Mas por que vieram vocês, cascavéis, e não espíritos luminosos?

– Onde vocês estão?

– Nas Trevas.

– Se vocês estivessem na Luz e alguém quisesse lhes falar, não poderia usar uma forma das Trevas, para não chocá-los. Assim como um homem casado com uma mulher não tão bela na aparência física nunca irá trocá-la por uma mais feia e sim por uma mais bonita, vocês todos viram cascavéis que lhes falaram para começar a fazer as coisas da forma correta.

– Quem virá nos atormentar?

– Quem virá para induzi-los a escolher o caminho mais curto que os leva para fora desse abismo serão as cobras negras. Comecem a descobrir o simbolismo das aparências, e saberão por que as cascavéis são rajadas, em mesclas de branco e preto. Então saberão que ainda estão submetidas à ação tanto da Luz quanto das Trevas. Cobras totalmente negras significam que não há mais luta, pois fizeram suas escolhas finais e entregaram-se às Trevas. Para esses não há mais um caminho de volta, e a queda é uma constante em suas imundas existências. Para eles, restará apenas uma trilha que desce e, a cada metro que descem, aquilo que ficou para trás apaga-se e forma-se às suas frentes. É a Lei, executor. Até qualquer dia!

Capítulo 9

O Resgate

E o homem à minha frente sumiu. O silêncio tomou conta do abismo e o pranto começou a surgir em muitos pontos. Pouco a pouco estávamos, todos nós, chorando. Por incrível que possa parecer, as suas palavras foram ouvidas por todos os condenados do abismo. Como isso aconteceu, não sei, mas imagino que era a Lei agindo por meio dele, para nos tornar cientes de que a prova final havia começado.

E ela veio quando nós menos esperávamos. Como por encanto, surgiram as cobras negras e a provocação começou. Todos os argumentos foram utilizados e, quando eles falhavam, vinha o castigo. Muitos sucumbiram nesse momento e desapareceram do abismo. Nunca mais os vi. Com muitos eu já havia me familiarizado.

Fomos castigados pelo veneno dolorido daquelas cobras; a loucura e o pânico instalaram-se em nosso meio. Quanto tempo durou, eu não sei, pois, como já disse, lá não havia dia ou noite.

Mas certo dia, ou noite, alguém surgiu no abismo e as cobras negras sumiram, como que por encanto.

Eu não podia ver quase nada porque estava quase cego, mas vi uma luz azul muito intensa que se irradiava do ser luminoso que acabara de chegar. Pouco a pouco, os gritos foram cessando e somente os gemidos de dor se faziam ouvir. O tempo passava e nada se alterava: o ser iluminado não saía do lugar.

Hoje eu sei! Aquela entidade muito luminosa estava velando por nós enquanto Deus não enviava o socorro final: o alívio protetor Ele já nos havia enviado.

Então veio o momento do resgate libertador.

Um grupo enorme de espíritos luminosos chegou ao nosso abismo e começou a cuidar de seus habitantes. Eu fiquei observando a movimentação, e de meus olhos quase cegos lágrimas jorravam. Eu sabia que Deus ouvira nossos pedidos de perdão e socorro. Ele, e só Ele, que era o único que nos restara, ouvira nossos clamores e enviava-nos o Seu bendito socorro.

Vi como eles se movimentavam no meio dos tantos espíritos reduzidos a farrapos retorcidos e os consolavam, aplicando bálsamos em suas chagas. Pouco a pouco, os gemidos foram cessando. Em dado instante, o tal Sete Guizos veio para perto de mim e falou:

– Como vai, executor?

– Pior que da última vez, Sete Guizos.

– Eu não penso assim. Você suportou sua prova final e agora é tudo uma questão de tempo. O grupo logo chegará aqui.

– Quem são os amigos que vêm nos auxiliar?

– São socorristas que atuam a partir da crosta terrestre.

– Para onde nos levarão?

– Só eles sabem. Mas acho que é melhor do que ficar nesse abismo.

Ainda ficamos conversando por um longo tempo, até que ele foi chamado.

– Até a vista, executor! É hora de levarmos aqueles que já receberam os primeiros socorros. Voltaremos amanhã à noite.

– Como assim?

– Somente poderemos voltar para buscar outros ao anoitecer.

— Está certo, amigo.
Eles se foram, e nós, uma multidão, ficamos gemendo de dor e ansiedade pelo socorro.
Como foi longa a espera pelo retorno dos socorristas, mas eles voltaram e reiniciaram os trabalhos de resgate. Pouco a pouco, estavam se aproximando de nós. À medida que vinham para mais perto, aumentava a ansiedade.
Quando eu consegui vê-los perfeitamente, assustei-me. Vi entre eles justamente aquele que eu jurara arrancar da carne e fazer meu escravo.
Sim, meu amigo. Era você mesmo quem estava no meio deles. Vi vários dos que o protegiam à direita. Eu os conhecia dos tempos em que vigiava seus passos à espera de uma chance para executa-lo. Vi os lanceiros vestidos com suas couraças. Vi as mulheres de branco, os índios e os negros.
Eu via a movimentação incessante de todos, mas a que mais me incomodava era a sua, porque eu temia ser visto por você. Temia que, se me visse, viesse a me denunciar, e que me deixassem abandonado ali para sempre.
Pouco a pouco chegaram até nós, e eu vi como um de seus protetores usava de sua energia vibratória para energizar os mais atingidos pelo castigo. Ele incorporava em você e ia tocando o mental daqueles que estavam caídos à sua frente. De imediato, o atingido por aquela descarga energética luminosa acalmava-se e parava de gemer de dor.
Isso continuou até que chegassem bem próximos a nós. Mas alguém avisou:
— Por esta noite chega, senão o esgotaremos totalmente.
— Está certo! Amanhã voltaremos e levaremos os restantes.
Mais uma vez eu fiquei chorando de dor, medo e vergonha. Dor pelos castigos sofridos, medo de ser reconhecido e ser abandonado ali, e finalmente vergonha, porque eram os mesmos que nós havíamos prejudicado que vinham nos resgatar.

Deus, numa prova inconteste do Seu poder, nos fazia ver que aquele que nós mais odiamos é quem irá se dignar a nos estender a mão, caso deixemos de odiá-lo.

Nova espera angustiante até o retorno do grupo socorrista. Mas eles voltaram, e nós, em um arremedo de sorriso, alegramo-nos com sua chegada.

O tal Sete Guizos veio até onde eu estava e cumprimentou-me:
– Como vai, executor?
– Melhor que da última vez, Sete Guizos.
– Ótimo.
– Por que justamente ele?
– Eu não lhe disse que todos sofreriam a transformação por odiá-lo?
– Sim.
– Pois agora serão auxiliados pelos que combateram e tentaram destruir. Ainda terá outras surpresas, executor!
– Quais, meu amigo?
– Está vendo aquele buraco negro nas costas dele?
– Sim.
– Foram vocês quem o fizeram, quando o deixaram tuberculoso, lembra-se?
– Sim. Mas e os outros buracos em seu corpo espiritual?
– Outros, que já foram levados ou que ainda serão, fizeram-nos com seus ataques vingativos.
– Espero que ele nos perdoe.
– Ele não sabe que foram vocês que o atingiram.
– Então, que Deus me perdoe!
Ele virou-se para a feiticeira e perguntou:
– E agora, como vai ser? É o seu momento, Laís!
– Como assim, Sete Guizos? – gemeu ela.
– Aquele que você tanto perseguiu foi o único que aceitou vir retirá-la do inferno.
– O que posso dizer?

— Não sei. Só fiz uma pergunta.

E ele se aproximou de nós e olhou para cada um. Atrás estava o negro com quem o tal Sete Guizos dizia ter contas a ajustar. Então eu lhe perguntei:

— Como foi que me disse, um dia, que tinha contas a ajustar com ele, e agora o auxilia?

— Você me perguntou que tipo de contas eram?

— Não.

— Pois devia. As contas que tenho a ajustar são as que devo a ele.

— Como assim?

— Eu devo a ele, e não ele a mim. Agora o estou pagando.

— Compreendo.

— Ainda não compreende, mas um dia não terá dúvida sobre isso também.

E aquele que nós havíamos tentado destruir tocou em nossos mentais. Ele e o tal negro, pois os dois formavam um naquele momento. Eu senti um imenso alívio nas minhas dores e o mesmo aconteceu com Laís, com minha esposa, Vítor e Priscila.

Priscila então começou a chorar convulsivamente. Ela reconheceu o espírito à sua frente, e ficou com medo de ser castigada.

— Não me faça mal, por favor! — exclamou ela em meio aos soluços.

Ele a puxou para si e a abraçou, dizendo:

— Ninguém irá lhe fazer mal algum, minha querida. Queremos apenas ajudá-los.

— Não quero mais ser violada, ou mordida, ou chicoteada. Não, pelo amor de Deus, não me façam sofrer mais!

— Você está sendo ferida agora? — perguntou ele.

— Não.

— Está sendo violada?

— Não.

— Alguém a está chicoteando?
— Não.
— Então por que chora e teme?
— Eu já sofri tanto! – exclamou ela olhando para ele. – Você não me odeia?
— Eu, odiá-la? Não tenho motivos para isso. Vamos, acalme-se que logo você sairá daqui e irá a um lugar para descansar.
— Vai me ajudar?
— Você já está sendo ajudada, minha querida amiga. Não vê como já pode ficar em pé e falar, e até me abraçar?
Eu via tudo com admiração. Priscila, em um processo de absorção de sua irradiação, refazia-se totalmente. Todo o seu corpo espiritual voltava a ficar como quando ela vivia na carne. Os ferimentos, inflamações, rasgos e cortes cicatrizavam, e o corpo voltava a ficar perfeito.
Era uma troca de luz e energia impressionante. Priscila o abraçava e absorvia toda sua luz dourada, deixando-o sem brilho algum. O negro atrás dele chamou o tal Sete Guizos e falou:
— Leve-o de volta ao corpo imediatamente, senão logo será tarde.
— O que houve agora, chefe?
— Mais um daqueles encontros que tanto tentamos evitar.
— Ela conseguiu, não é mesmo?
— Sim. Vamos, leve-o logo, ou então seu corpo irá sentir muito.
— Certo, chefe.
Ele foi ao lado dos dois e falou:
— Vou separá-los agora, chefe. Precisa retornar.
— Está bem, mas cuidem bem dela.
— Eu cuido dela para você, chefe.
— Não me deixe aqui! – falou Priscila. – Não quero sofrer mais.
Ele acariciou seus cabelos e falou:
— Então feche os olhos e deixe-se conduzir a um lugar de descanso.

Um outro socorrista levou-a por meio da volitação. O tal Sete Guizos levou-o consigo do mesmo modo.

Quanto a mim, tive de esperar pela sua volta, pois estava tão destruído em meu corpo mental que acharam melhor deixar-me, até que pudessem energizar meu corpo espiritual com sua energia.

E na "noite" seguinte você voltou, e o processo reiniciou-se.

Nós fomos os últimos a ser energizados e depois socorridos e levados a um abrigo espiritual na crosta. Dias depois, fomos levados à sua casa. Lá, fomos submetidos ao processo curador da luz branca e incorporados ao seu corpo físico. Do seu corpo retirávamos o magnetismo animal que nos livrava totalmente das marcas do sofrimento espiritual.

Sim, isso acontece dessa forma mesmo. Um espírito incorpora em um médium e absorve seu magnetismo animal. Com a irradiação luminosa da luz branca, todos os ferimentos do corpo espiritual são curados de imediato. Cessam as dores físicas, restando tão somente as dores do mental, que são remorso, vergonha, tristeza, angústia, etc. Daí somos encaminhados para o abrigo, e lá os mestres e mestras da Luz acolhem-nos e curam essas dores mentais com suas palavras de consolo, conforto e esclarecimentos.

O processo de cura se faz em segundos, e o alívio dos tormentos mentais é facilitado com isso.

De todos os socorridos, dois foram os que mais se beneficiaram: tanto Priscila quanto minha esposa absorveram sua energia irradiante e curaram-se lá mesmo, no abismo. Quanto ao resto, os mestres da Luz fizeram com a sabedoria de quem conhece e sabe como fazer.

— Por que me conta tudo isso, amigo Mário?

— Você se lembra do dia em que incorporei em você para ser tratado com a luz branca?

– Sim. Você até deixou seu nome e disse que voltaria.

– Pois é isso mesmo, amigo Rubens. Eu lhe disse naquele dia que, quando fosse possível, eu voltaria e o ajudaria. Não foram estas as minhas palavras?

– Sim. E você deu sinais de que estava por perto outras vezes, anos depois.

– Bem, nessas ocasiões eu já estava auxiliando os seus protetores no trabalho de resgate nos abismos.

– Compreendo.

– Mas tem mais, amigo Rubens.

– O que é?

– Hoje já temos liberdade de ação junto aos caídos, e estamos formando mais um grupo socorrista.

– Como assim? Já não existia um grupo?

– O original, que é permanente, mas à sua volta novos grupos vão se formando com aqueles que são recolhidos nos abismos, após passarem pela transformação regeneradora.

– Quem é o chefe do seu grupo?

– O tal cascavel Sete Guizos.

– Ele?

– Sim. Acho que já recolheu todas as pedras para compor a sua torre, e no alto dela acendeu um farol que atinge os abismos transformadores. Dela, ele reconduz à senda luminosa os que a querem trilhar.

– Esse camarada é persistente, não?

– Bota persistência nisso. Ele disse que só irá descansar um pouco quando vir à volta de sua torre, alta e iluminada por um farol, existirem 77 outros faróis.

– Isso demora um bocado, não?

– Sim e não, amigo Rubens!

– Como assim, amigo Mário?

– Bem, eu já recolhi várias pedras, e Laís outro tanto. O tal Sete Presas outro tanto maior que os nossos. Certamente, cada um irá ajudá-lo a ver os 77 faróis iluminando o caminho daqueles que vivem nas trevas da ignorância. Pouco a pouco, nós levantaremos nossas torres com as pedras que estamos recolhendo, e então Deus Pai colocará, em seus topos, faróis que aumentarão o poder da Luz do saber das coisas divinas.

– Ótimo, mas e quanto à sua esposa na última encarnação?

– Ela preferiu integrar-se ao grupo original.

– E Priscila?

– Preferiu integrar-se ao grupo de outra conhecida de tempos imemoriais. Esse é um tempo que você conhece muito bem!

– Sim, esse eu conheço. Pouco a pouco ela está juntando suas pedras, não?

– Isso mesmo. Logo haverá uma torre muito alta à espera de um farol brilhante que Deus Pai certamente irá colocar em seu topo.

– Sei.

– Sabe mesmo?

– Imagino que sei. Ou será que não sei?

– Quem saberá, não é?

– É, quem saberá? Mas por que você disse, no começo dessa nossa conversa franca, que iria ficar à minha espera para poder viver o tempo da alegria?

– Bem, quando você estiver do lado de cá, poderei abraçá-lo sem a barreira da carne, como o fazem tantos que hoje vão visitá-lo.

– Como assim?

– Ora, de onde pensa que chegam, ou quem é que os traz para receberem as bênçãos do seu magnetismo animal e o alívio da luz branca, quando incorporados?

– Dos abismos criados pelos mentais de cada um, e são os mestres que os trazem.
– Dos abismos, é verdade. Quanto aos que os trazem, são aqueles que um dia foram resgatados dali, e agora a eles retornam para buscar outros que já sofreram a ação do guardião da transformação.
– Compreendo.
– Quanto a abraçá-lo, quem não gosta de abraçar quem teve a coragem de estender-lhe a mão quando estava envolvido na ignorância, tentando prejudicá-lo? Esse é um sinal de gratidão e de amor. Todos sentem-se gratos por terem sido amparados pela corrente inicial e pelo principal elo dessa corrente, que é você.
– Eu sou o elo mais forte? Não creio nisso, amigo Mário.
– Pois acredite! Os mestres originais hoje já têm suas torres altas, iluminadas por poderosos faróis, tendo à sua volta outras 77 torres também iluminadas, brilhando para todo o sempre.
– O que tem isso a ver comigo?
– Foi pelo seu esforço que eles conseguiram auxiliar os que queriam construir suas torres à sua volta.
– O crédito pertence a eles, e não a mim, um cego na carne.
– Ainda assim, não pode impedir que aqueles que começam a crescer à sua volta o abracem e o amem.
– Nem quero isso.
– Acho bom, mesmo.
– Por que diz "acho bom, mesmo"?
– Assim como Priscila e minha ex-esposa quiseram ficar bem próximas somente para o terem à vista, uma porção de outras que chegam com os sofredores resgatados dos abismos entregamse aos guardiões e depois ficam a olhá-los por um longo tempo.
– Por que isso?

— Não sei ao certo, mas imagino que sejam aquelas que absorveram em excesso sua vibração luminosa, quando eram resgatadas dos abismos.

— Onde quer chegar?

— Já percebeu, não?

— Sim e não.

— O "não" se deve à venda que lhe é imposta pelo corpo carnal, mas, quando vier o tempo de deixá-lo à Terra, então dirá: sim e sim!

— Por quê?

— Não é melhor ser amado que odiado?

— Nem é preciso discutirmos sobre isso.

— Pois é isso! Se distribuir amor, então colherá amor. É por isso que elas o ficam olhando por um longo tempo. Eu, do meu canto, fico só olhando e acabo confirmando as palavras do amigo Sete Guizos ditas no dia, ou noite, em que me levou ao abrigo e mostrou-me Priscila sentada em uma cama.

— O que foi que ele lhe disse?

— Quer mesmo saber?

— Como não? Você me deixou intrigado e curioso, amigo Mário.

— Bem, ele disse o seguinte: "Olhe ali, executor. Acabou-se o motivo do seu tormento".

— Por que ele disse isso?

— Ela já nem liga mais em vê-lo.

— Por que não?

— Está sonhando com o chefe na carne.

— Tem certeza?

— Absoluta. Eu conheço esse olhar apaixonado. É sempre assim: ele as abraça, irradia e logo elas estão caídas de amor. Não sei como isso acontece, mas nunca vi um camarada como ele.

— Como assim, amigo cascavel?

— Nesses séculos em que eu o acompanho, tanto em espírito como no corpo físico, é isso o que tenho visto: elas se aproximam e logo descobrem o que tanto procuravam e não encontravam.

— O que elas encontram nele?

— A luz do amor. Acho que é inexplicável, mas que o amor tem uma luz, isso tem, e o chefe a carrega consigo. As que a absorvem não o largam mais, e caso se afastem um pouco é por causa dos chefes da Luz. Senão, não tenho dúvidas de que não se afastariam mais.

— Diga-me, amigo Mário: como isso se explica à luz da razão?

— O que posso dizer é que, quem distribui o amor, só colhe o amor.

— Então eu fui escolhido para cuidar do tormento delas, não?

— Elas o escolheram, meu amigo.

— Ótimo! Então você fica livre e eu o assumo com todos os riscos, não?

— Quem disse que eu fiquei livre?

— Você não se livrou do encargo de cuidar de Priscila e sua ex-esposa?

— Sim, isso é verdade! Mas há um bocado de espíritos para os quais dei amor, e agora se ligam a mim como forma de gratidão e amor. Eu também estou construindo minha torre, ou já se esqueceu disso? Cada pedra que recolho é inundada pelo meu amor, e nossas ligações só perduram por causa desse elo divino que une os seres humanos.

— Então, boa sorte na construção de sua torre, e que Deus Pai logo possa colocar em seu topo um farol bem brilhante.

— Obrigado, amigo Rubens! Boa sorte para você também na construção de seu longo colar de pérolas. Cuide bem de Priscila,

porque tenho certeza de que, entre todas as pérolas do seu colar, ela, com o tempo, será uma das mais brilhantes.
— Que assim seja!
— Se assim quiser, assim será, amado mestre, cego na carne, mas vidente em espírito. Adeus, e até outro dia.
— Adeus, amigo Mário. Até o dia em que eu possa retribuir o abraço fraternal e carinhoso.

Fim

MADRAS® *Editora*

Para mais informações sobre a Madras Editora,
sua história no mercado editorial
e seu catálogo de títulos publicados:

Entre e cadastre-se no site:

www.madras.com.br

Para mensagens, parcerias, sugestões e dúvidas, mande-nos um e-mail:

marketing@madras.com.br

SAIBA MAIS

Saiba mais sobre nossos lançamentos,
autores e eventos seguindo-nos no facebook e twitter:

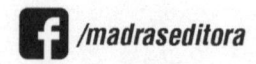

@madrased

/madraseditora